# Cymry Gwyllt y Gorllewin

Dafydd Meirion

y Lolfa

Argraffiad cyntaf: 2002

℗ Hawlfraint Dafydd Meirion a'r Lolfa Cyf., 2002

Clawr: Llun o Owen Roscomyl
Dylunio'r clawr: Ceri Jones

Rhif Llyfr Rhyngwladol: 0 86243 623 0

Cyhoeddwyd yng Nghymru
ac argraffwyd ar bapur di-asid a rhannol eilgylch
gan Y Lolfa Cyf., Talybont, Ceredigion SY24 5AP
*e-bost* ylolfa@ylolfa.com
*gwefan* www.ylolfa.com
*ffôn* (01970) 832 304
*ffacs* 832 782
*isdn* 832 813

# Diolchiadau

Diolch i'r canlynol am bob cymorth wrth gasglu
deunydd ar gyfer y llyfr:

Archifdy Gwent; J Douglas Davies, Llandyfaelog; Margaret Jones
Evans, Caernarfon; Gareth Glyn, Llangwyllog; Layton R Green,
Pontyclun; Huw Griffith, Adran Hanes, Prifysgol Cymru
Aberystwyth; Gwasanaeth Llyfrgell Gwynedd; Iwan Hughes, Ysgol
Maes Garmon; Edna J Jones, Brandon, Vermont; A O Jones,
Emsworth, Hamps; Judith Ann Rice-Jones, Colorado; Derek Jones,
Wrecsam; Robert Lewis, Dolgellau; Margaret Nash, Abercrâf; Joe
Orfant, Boston, Mass.; Rhys Owen, Y Groeslon; Olwen Owen-Parry,
Llandegfan; Llyfrgell Genedlaethol Cymru, Aberystwyth; Bob
Priddle, Pen-y-bont ar Ogwr; Robert Pugh, Storey Arms; Neil
Radnor, Llanandras; David Rees, Lyons, Wisconsin; J Richards,
Colorado; Elfyn Schofield, Sully; Angus Snow, Llandinam; Ellis
Thomas, Llangynog; Eirug Wyn, y Groeslon

Dymuna'r awdur ddiolch i BBC Radio Cymru
am ganiatâd i gynnwys deunydd a gasglwyd
ar gyfer rhaglen radio o'r un enw â'r llyfr a
hefyd i BBC 2W am ganiatâd i ddyfynnu o'r
rhaglen deledu *Little Big Man* (Cynhyrchydd:
Martin Kurzik).

# CYNNWYS

# Y Gorllewin Gwyllt

Anodd yw dweud faint yn union o Gymry a ymfudodd i'r Unol Daleithiau, ond cofnodir bod 80,000 wedi ymfudo yno rhwng 1860 ac 1920, ond mae'n debyg bod y ffigwr cywir ddwy neu dair gwaith hyn gan fod y Cymry yn aml yn cael eu cynnwys gyda'r Saeson, yn wahanol i'r Gwyddelod a'r Albanwyr. Yn 1880, er enghraifft, cofnodir bod cynifer ag 83,302 o drigolion yr UDA wedi'u geni yng Nghymru.

Ymsefydlodd dros 17% o'r Cymry yn Pennsylvania a'r gweddill yn ymledu allan i bob cyfeiriad, gyda nifer ohonynt yn anelu tua'r gorllewin, yn croesi'r paith a'r mynydd-dir. Byddai'r rhai oedd ag arian yn teithio mewn fflyd o wageni'n cael eu tynnu gan geffylau neu ych ond byddai'r rhai tlotaf yn gorfod cerdded. Roedd hon yn daith beryglus gyda'r tywydd yn amrywio o haul crasboeth i law trwm a chyfnodau oer dychrynllyd ac ar ben hyn ymosodai'r brodorion – yr Indiaid – ar yr ymfudwyr a ddeuai yno i ddwyn eu tiroedd. Roedd yno hefyd finteioedd o bobl wynion yn ysbeilio'r wageni ac, ymhellach i'r de, ceid lladron oedd yn gymysgedd o waed Mecsicanaidd ac Indiaidd, a'r rhain yn aml yn fwy milain na'r Indiaid.

Daeth pethau'n haws ymhen blynyddoedd pan adeiladwyd rheilffyrdd i redeg o'r dwyrain i'r gorllewin, a ble bynnag yr arhosai'r trenau hyn tyfodd pentrefi neu drefi bychain. Yn y rhain byddai cyfle i rai o'r Cymry gweithgar sefydlu busnesau'n gwerthu bwydydd, dilladau ac offer ffermio, rhai'n cadw gwesty neu hyd yn oed yn agor salŵn. Ymsefydlodd eraill i fod yn ffermwyr, yn ofalwyr anifeiliaid, yn fwynwyr, neu'n weithwyr rheilffyrdd – a nifer eraill yn dilyn gyrfaoedd llai parchus!

Yn wir, nid pobl y capeli oedd pob un o'r Cymry a aeth draw i America, fel y disgrifia'r darn hwn wrth sôn am rai o'r Cymry a ymsefydlodd yn Scranton, Pennsylvania:

> Ar Main Street mae yna Gymry... yn cadw bar bron bob yn ail dŷ. Os ydych... am grogshops Cymreig, whisky holes, gin mills, rum cellars, ac ati ewch i Lackawanna Avenue, Main Street a Hyde Park. Yno fe welwch feibion a merched, wŷr a gwragedd, yn hanner meddw'n feunyddiol, yn chwarae'n wirion, yn loetran ac yn canu'n Gymraeg fel y maent yn codi cywilydd hyd yn oed ar y Gwyddelod hanner-gwaraidd. Os ydych am ddiffyg parch ar Ddydd yr Arglwydd, os ydych eisiau clywed iaith uffern... o gegau Cymreig, ewch am hanner awr ar hyd y strydoedd ac i'r salŵns Cymreig yn Hyde Park." (Y Drych, 1870)

A gallwn gymryd yn ganiataol hefyd bod yr un peth yn wir am nifer o'r Cymry a deithiodd am y gorllewin.

O bosib, gyda'r rhai a ymsefydlodd yn y Gorllewin Gwyllt yr ydym yn cysylltu America – gwlad y cowbois, yr Indiaid a'r dihirod – gan fod anturiaethau'r arloeswyr hyn wedi dod yn fyw i ni mewn llyfrau, comics a ffilmiau. Er gwaethaf yr argraff a geir yn aml mai Saeson oeddynt oll, roedd yna Gymry yn eu mysg ynghyd â nifer o genhedloedd eraill Ewrop. Mae'n wir mai Saesneg oedd iaith y rhan fwyaf o'r cowbois, ond rhaid cofio mai 63% yn unig oedd yn ddynion gwynion gyda'u chwarter yn ddynion duon a thua wythfed yn Fecsicaniaid – y *vaqueros* a ddaeth â'r gair *buckaroo* i eirfa'r gorllewin. Ymysg y gwynion roedd nifer o wahanol genhedloedd – yn enwedig rhai o'r Almaen a Sgandinafia, gyda nifer o'r gwledydd Celtaidd hefyd. Roedd rhai ohonynt wedi bod yn gweithio fel porthmyn cyn croesi'r Iwerydd, ac yn ôl rhai o'r cowbois eraill roeddynt yn fodlon gweithio am dâl is na rhai o'r cenhedloedd eraill.

Roedd nifer fawr o'r Cymry a aeth am y gorllewin yn ddynion da, gonest a gweithgar wrth gwrs, ond megis yma yng Nghymru, roedd nifer o adar brith yn eu plith. Dyma hanes rhai o'r Cymry – o bob math – a fu'n byw yn America yng nghyfnod y Gorllewin Gwyllt.

# Y DRWG A'R DA

**P**an feddyliwn am y Gorllewin Gwyllt, y dihirod (neu'r *outlaws*) a ddaw gyntaf i'r meddwl. Dynion y gynnau chwim, gyda het dywyll a'r gantel lydan yn isel dros y llygaid a'r bwt o sigarét ddu yng nghornel y geg. Dynion oedd y rhain oedd yn saethu cyn gofyn cwestiynau; rhai fel Billy the Kid, John Wesley Hardin, Butch Cassidy ac, ie, Jesse James, oedd â'i deulu'n hanu o Gymru. Ond, er nad oedd y Cymry mor amlwg ymysg y gwŷr drwg hyn, yn sicr nid oedd pawb o Wlad y Menig Gwynion yn hogia Ysgol Sul.

*Mormoniaid ar eu ffordd i Salt Lake City.*

## Isaac Davis – Y Mormon Milain

Yn 1830 y sefydlwyd eglwys gyntaf y Mormoniaid a hynny yn Efrog Newydd, ond gan nad oedd eu harferiad o gael mwy nag un wraig yn boblogaidd cawsant eu herlid o lawer ardal. Erbyn 1843 roeddynt wedi cyrraedd Illinois, ond y flwyddyn ddilynol lladdwyd eu harweinydd Joseph Smith gan dyrfa wyllt yno. Penodwyd Brigham Young yn ei le ac yn 1847 ef a arweiniodd y Mormoniaid – unwaith eto er mwyn osgoi crlcdigaeth – ar daith hanesyddol 1,500 milltir o hyd gan gyrraedd yn y diwedd Salt Lake City yn Utah. Yma, nid oedd yna neb i'w herlid a thyfodd cymdeithas gref lewyrchus yno. Dros y blynyddoedd bu i rai o'r Cymry yn eu mysg deithio'n ol i'w mamwlad fel cenhadon, gyda nifer ohonynt yn ymweld â Chymru gan ddylanwadu ar bobl megis Isaac Davis.

Mab hynaf Mary Nash a David David o Gydweli oedd Isaac Davis. Fe'i magwyd gan ei daid a'i nain a'i brentisio fel gof, ond daeth i gysylltiad â'r Mormoniaid a dcchreuodd deithio ar draws de Cymru yn pregethu. Ond ni châi fawr o groeso a thua 1846 penderfynodd adael Cymru gan deithio gyda'i wraig Elizabeth, yn gyntaf i Lerpwl, ac yna i America. Wedi glanio yno aeth y ddau ymlaen tua'r gorllewin gan deithio mewn wagen ar draws y wlad a chyrraedd Salt Lake City yn 1850.

Ond, ac yntau newydd gyrraedd yno, syrthiodd Davis mewn cariad â merch arall ac er bod amlwreigiaeth yn cael ei ymarfer ymysg y Mormoniaid nid ocdd yn gyfreithlon, a bu raid iddo ffoi o'r ardal. Bu'n teithio o dref i dref yn gwneud mân waith ond pan aeth arian yn brin bu iddo droi at ddwyn a tharodd ar gwmni drwg. Nid oedd wedi maddau i'r rhai a'i gorfododd i adael Salt Lake City ac felly rai blynyddoedd yn ddiweddarach dychwelodd fel rhan o fintai oedd â'u bryd ar ysbeilio'r ardal. Yn y fintai honno roedd cyn-Formoniaid fel yntau yn ogystal ag Indiaid a daflwyd allan o'u llwythau.

Pan gyrhaeddodd y fintai gyrion Salt Lake City bu iddynt ymosod ar nifer o ffermydd gan ladd tros gant o bobl. Ymosodai'r dihirod ar y ffermydd liw dydd gan saethu'r ffermwyr diamddiffyn wrth iddynt weithio yn y caeau, ac wedi lladd y dynion rheibient y gwragedd cyn mynd ati i ddwyn pob dim oedd o werth yn y cabanau pren. Parhaodd yr ysbeilio am rai misoedd a chan nad oedd fawr o gyfraith a threfn yn yr ardal, ychydig iawn allai neb ei wneud i atal yr ymosodiadau. Ond, o'r diwedd, cafwyd neges i'r fyddin a brysiodd milwyr i'r ardal gan godi gwersyll yno i warchod y ffermydd. Bu sgowtiaid y Fyddin yn crwydro'r ardal am rai dyddiau'n chwilio am y dihirod a daethpwyd o hyd iddynt yn dychwelyd o un o'u cyrchoedd gwaedlyd. Carlamodd un o'r milwyr yn ôl i'r gwersyll i nôl y gweddill ac ymhen dim o dro roedd y milwyr yn dynn ar sodlau Davis a gweddill y dihirod. Dibynnai'r drwgweithredwyr ar allu'r Indiaid i'w harwain dros fynyddoedd garw allan o gyrraedd y fyddin, ac wedi rhai dyddiau collwyd y milwyr a dihangodd y giwed tua'r gorllewin. Chwalodd y fintai gyda phawb yn dilyn ei lwybr ei hun – yn bennaf er mwyn ei gwneud yn anos i'r awdurdodau ddod o hyd iddynt.

Bu Davis yn crwydro talaith Nevada am rai blynyddoedd yn gwneud mân waith ar ffermydd ac mewn siopau gan lwyddo'r tro hwn i gadw ar y llwybr cul. Yna penderfynodd ddychwelyd i Salt Lake City ac wedi cyrraedd yno aeth at yr awdurdodau i gyfaddef ei bechodau gan edifarhau am ei droseddau – a chynigiodd dalu i yrru'r plant a adawyd yn amddifad yn ystod y gyflafan rai blynyddoedd ynghynt yn ôl am y dwyrain i Missouri ac Arkansas.

Unwaith eto cafodd fân waith o gwmpas yr ardal ac unwaith eto fe syrthiodd mewn cariad! Penderfynodd gymryd gwraig arall – un oedd yn bymtheg oed y tro hwn, ond gan ei fod eisoes yn briod â dwy arall, daeth yr awdurdodau ar ei ôl a llusgwyd ef i'r llys a'i ddedfrydu i dri mis o garchar. Wedi ei ryddhau, aeth yn ôl at ei wraig ifanc a thros y blynyddoedd cawsant ddcuddeg o blant a threuliodd Isaac Davis weddill ei fywyd yn y gymuned Formonaidd, yn aelod parchus o'r gymdeithas – yn wahanol iawn i'w ieuenctid gwyllt!

## Y Brodyr James

Yr enwocaf o'r dihirod o dras Cymreig oedd y brodyr Frank a Jesse James. Gweinidog gyda'r Bedyddwyr yn Sir Benfro oedd William James, hen-daid y ddau, ac ef a ymfudodd i Bensylvannia yn y lle cyntaf. Symudodd y teulu'n ddiweddarach i'r gorllewin lle bu tad y ddau frawd, sef John James, yn ffermwr ac yn weinidog rhan-amser. Dechreuodd Frank a Jesse eu gyrfaoedd gwaedlyd yn ystod y Rhyfel Cartref pan fu i'r ddau ymuno â minteioedd *guerilla* – Frank gyda mintai Quantrill a Jesse gydag Anderson – gan ladd a llosgi ar ran y Cydffederalwyr. I drigolion y de, roedd y brodyr James a'u tebyg yn arwyr ond i'r gogledd, llofruddion gwaed oer oeddynt.

Pan ddaeth y rhyfel i ben, gwrthodwyd amnest i ddynion fel y brodyr James gan nad oeddynt yn rhan o fyddin swyddogol y de, a chafodd Jesse ei saethu gan filwr o'r gogledd wrth iddo geisio ildio. Dyma, meddai rhai, a wthiodd y brodyr yn groes i'r gyfraith gan wneud iddynt ymuno â chyn-*guerillas* eraill fel y brodyr Younger a'r brodyr Cole i reibio'r wlad o'u cwmpas. Rhwng 1860 ac 1881 y James Gang oedd y lladron pennaf yn America gan iddynt ddwyn tua dau gan mil o ddoleri yn ystod y cyfnod hwn – o fanciau yn bennaf. Yn 1866, giang y James-Younger oedd y cyntaf erioed i ddwyn o fanc yng ngolau dydd, a hynny yn Liberty, Missouri. Roedd yno bedwar ar ddeg yn y giang a dygwyd tua trigain mil o ddoleri.

Erbyn 1875, roedd ditectifs cwmni Pinkerton ar eu gwarthaf a phan glywyd bod y brodyr gartref am rai dyddiau yn Kearney, Missouri, gyrrwyd mintai yno i amgylchynu'r ffermdy. Taflwyd rhywbeth i mewn i'r tŷ – bom fechan yn ôl y teulu ond, yn ôl y Pinkertons, fflêr ydoedd. Gwthiwyd beth bynnag oedd o i'r lle tân lle ffrwydrodd gan ladd hanner-brawd naw oed y bechgyn a chwythu braich dde eu mam Zerelda i ffwrdd. Yn sgil y digwyddiad hwn, bu mwy fyth o gydymdeimlad â'r bechgyn.

Un o'u hymosodiadau mwyaf beiddgar oedd yr un ym Minnesota yn 1876. Bwriad gwreiddiol y brodyr oedd dwyn o fanc yn nhref Mankato (tref, gyda llaw, â nifer o Gymry'n byw ynddi), ond tra oeddynt ar sgawt yno, fe adwaenwyd Jesse gan ddyn yn cerdded ar y stryd a bu raid chwilio am le arall. Penderfynwyd ymosod ar fanc yn nhref Northfield ond, y tro hwn, roedd y trigolion yn barod amdanynt a phan ddaethant allan o'r banc, taniwyd atynt. Lladdwyd tri o'r lladron a daliwyd y tri brawd Younger ond, yn ystod y saethu, lladdwyd hefyd dri o drigolion y dref gan gynnwys y *sheriff* a gŵr o Sweden oedd newydd gyrraedd yno. Cafodd Frank James ei saethu yn ei goes ond llwyddodd i aros ar ei geffyl a charlamodd gyda'r gweddill allan o dref Northfield.

Parhaodd y giang i ddwyn o fanciau a threnau'r ardal tan y 3ydd o Ebrill 1881 pan gafodd Jesse ei saethu yng nghefn ei ben gan gyn-aelod o'r giang, Bob Ford. Er i Frank gael ei ddal gan yr awdurdodau, cafodd y llys ef yn ddieuog wedi iddynt dderbyn gair da amdano gan gyn-Gyrnol iddo pan oedd ym myddin y de! Treuliodd weddill ei ddyddiau'n byw ar ei enwogrwydd – yn croesawu ymwelwyr i'w fan geni ef a Jesse ac yn gwerthu cerrig mân o fedd ei frawd.

Gwnaed nifer o ffilmiau am y brodyr James ac yn arbennig am Jesse – ffilmiau fel *The Long Riders* sy'n sôn am y cyrch ar y banc yn Northfield. Cafwyd hefyd nifer o lyfrau am eu hanturiaethau; ond nid hwy oedd yr unig gowbois Cymreig i gael eu hanes mewn llyfr.

## Y Cowboi o Gaerdydd

Tua ugain mlynedd yn ôl, cyhoeddwyd llyfr am Robert Samuel Kenrick sy'n seiliedig ar lythyrau a ysgrifennodd o America at ei deulu gartref. Magwyd Kenrick ym mhentref Sully ger Penarth, de Cymru, gan fynd drosodd i America ac i'r Gorllewin Gwyllt yn yr 1880au. Mab i gapten llong oedd Kenrick ac, yn ddyn ifanc, cafodd swydd fel ysgrifennydd yn nociau Caerdydd. Pen derfynodd adael Sully yn 1887 a hwyliodd i Lerpwl, yna ymlaen i Efrog Newydd cyn teithio i Kansas lle bu, ar ôl cyrraedd, yn gwneud mân waith fel golchi llestri mewn gwestai. Daeth yn gyfeillgar â Sais a lysenwyd yn Bali a chafodd Kenrick, o bosib am fod ganddo groen braidd yn dywyll, ei alw'n Dago.

Yn ddiweddarach, penderfynodd Bali a Kenrick fynd i Denver, Colorado, ond roeddynt yn brin o arian felly dyma neidio ar drên i osgoi talu. Roedd lladron ar y trên a'u bwriad oedd dwyn y nwyddau trwy gipio'r trên a'i stopio bob hyn a hyn mewn mân orsafoedd i godi bwyd a diod. Ond roedd rhywun yn un o'r gorsafoedd wedi sylwi bod rhywbeth o'i le ac wedi gyrru neges deligraff i Denver lle casglodd *sheriff* y dref ei ddynion ynghyd yn yr orsaf i ddisgwyl amdanynt. Rhywsut daeth y lladron i wybod am hyn a stopiwyd y trên ganddynt rai milltiroedd y tu allan i'r dref a neidiodd pawb oddi arno a diflannu i bob cyfeiriad.

time at Huga    Jumped the bus in & after
getting put off several times fell in
with a band of "road agents" (oboes)"
We boarded a Hook bound "freight &
rode on to Denver. The "Road agents"
took charge of the train made the driver
stop twice for food en route. Railway Co.
wired on to Denver arrange a sheriff & men
meet train. Men outwitted them & dropped off train few
miles outside & we scattered & entered Denver by
different route.
The Company was too tough for us so we
gave them the slip first opportunity;
We were expecting some money from home
& we had given notice for letters to be given
P.O. Denver. a few days afterwards We were
in a store buying some clothes after
cashing our money We heard a commotion
in the street & coming to the entrance
We were just in time to see our late friends
marching chained together with men with
shot guns in charge of them — our late
friends involuntary gave a start of recognit.

Copi o un o lythyrau Robert Samuel Kenrick at ei deulu yn sôn am gyfarfod
â'r dihirod ar y trên.

Sylweddolai Bali a Kenrick nad oedd hi'n ddoeth aros yng nghwmni'r lladron ac felly penderfynasant beidio â'u dilyn a cherddodd y ddau am rai milltiroedd i gyfeiriad gwahanol i'r lladron gan fynd am dref Denver. Wedi cyrraedd yno aeth y ddau i mewn i un o'r amrywiol storfeydd i brynu dillad ond tra oeddynt yn y siop clywsant sŵn yn y stryd ac allan â nhw i weld beth oedd yn digwydd. Yno gwelsant *sheriff* Denver a'i ddynion yn llusgo'r lladron oedd ar y trên ar hyd y stryd – pob un yn sownd wrth gadwyn. Wrth fynd heibio, gwelodd un o'r lladron Bali a Kenrick a chododd ei law arnynt a chan fod y *sheriff* yn credu bod y ddau'n aelodau o'r giang, llamodd tuag atynt â'i wn yn ei law. Cymerodd y dillad yr oedd y ddau newydd eu prynu oddi arnynt gan gredu eu bod wedi'u dwyn a gwthiwyd hwy yn erbyn y wal gyda gynnau'r *sheriff* yn eu cefnau. Ni choeliai'r *sheriff* yr un gair yr oedd y ddau'n ei ddweud a dechreuodd eu gwthio tuag at ei swyddfa. Yn sydyn, cofiodd y ddau bod ganddynt lythyrau oddi wrth eu teuluoedd yn eu pocedi a chawsant ganiatâd y *sheriff* i'w hestyn ac wedi eu darllen a pheth crafu pen, rhyddhawyd y ddau.

O Denver aeth y ddau i'r gogledd am Cheyenne a Laramie a chael gwaith ar *ranch* yr HO. Fforman y *ranch* oedd Bill Hanger a chan ei fod ef yn gyfeillgar â William Frederick Cody neu Buffalo Bill daeth Kenrick i'w adnabod yn dda. Deuai Buffalo Bill i'r fferm yn aml i brynu ceffylau a byddai'n dangos i'r gweithwyr pa mor fedrus ydoedd â'i ynnau – y reiffl a'r rifolfers. Bu Kenrick yn gweithio ar y fferm o 1888 i 1890 gan gael ei hyfforddi i farchogaeth ceffylau a defnyddio rifolfer, sgiliau a fu'n ddefnyddiol iawn iddo ar fwy nag un achlysur wrth warchod eiddo'i feistri.

Roedd nifer o ladron yn byw yn Pumpkin Buttes (ardal heb fod ymhell o ble'r oedd Kenrick yn gweithio), ac yno roeddynt yn cuddio rhag y gyfraith ac yn cadw'u hysbail. Roedd stori ar led bod nifer ohonynt wedi cael eu saethu a dim ond dau ar ôl ac felly un haf, pan oedd Kenrick a rhai o'r cowbois eraill yn chwilio am wartheg yn yr ardal honno, dyma benderfynu mynd draw i gael golwg. Roedd arian mawr i'w gael am ddal y lladron hyn ond ni roddai'r cowbois unrhyw wybodaeth i'r awdurdodau – roedd ganddynt ryw fath o barch tuag at y dihirod. Wedi hir chwilio, daeth y cowbois o hyd i gwt y lladron ond nid oedd dim yno ar wahân i olion bwyd ac er iddynt chwilio'n ddyfal am arian y lladron ni ddaethpwyd o hyd i ddim.

Ceir awgrymiadau yn y llythyrau fod Kenrick a Bali yn cyfeillachu rywfaint â rhai o ddihirod yr ardal gan y cyfeirir at Butch Cassidy, Kid Donnely a Bill Brady ynddynt.

Ond er iddo ymgyfeillachu â rhai o ddihirod America nid anghofiodd Kenrick am ei gefndir crefyddol ac mae'n sôn mewn un llythyr amdano'n mynd i gapel un nos Sul. Nid oedd yno neb i ganu'r organ y noson honno a chamodd Kenrick ymlaen, a syndod i bawb oedd gweld cowboi'n canu'r offeryn! Yn 1892 dychwelodd Kenrick i Sully ac er ei fod wedi bwriadu dychwelyd i America, nid felly y bu. Tybed a oedd wedi gadael y wlad honno dan gwmwl? Ni wyddon ni i sicrwydd. Bu farw Kenrick yn 1939 a'i gladdu ym mynwent Eglwys y Plwyf, Sully.

## Saethu gŵr Belle Starr

Nid dihirod oedd pob un yn y Gorllewin Gwyllt, roedd rhai'n ymdrechu i gadw cyfraith a threfn yno. Un felly oedd John T Morris, gŵr o dras Cymreig, a *sheriff* Collins County, Texas, yn ystod yr 1870au. Ymysg y lladron oedd yn aflonyddu ar drigolion y cylch ar y pryd oedd James H Reed, arweinydd mintai oedd wedi bod yn ysbeilio rhannau helaeth o Missouri, Arkansas, Texas, Arizona, Nevada, Califfornia ac Oregon, ond erbyn heddiw mae Reed yn fwy adnabyddus fel gŵr Brenhines y Dihirod, Belle Starr.

Arbenigai Reed ar ddwyn ceffylau a dwyn oddi ar y Goets Fawr. Erbyn 1871 roedd Reed a Starr wedi agor busnes gwerthu ceffylau yn nhre Scyene gyda Belle yn edrych ar ôl y busnes a Reed yn dwyn ceffylau yn nhiriogaethau'r Indiaid ac yna'n eu gwerthu drwy'r busnes. Gweithiai'r cynllun hwn i'r dim gan y cedwid Reed allan o'r ardaloedd poblog lle'r oedd yna bris ar ci ben ac roedd gan Belle fusnes 'cyfreithlon' i wneud ychydig o arian.

Ond roedd yr awdurdodau ar ôl Reed ac roedd Sheriff Morris a'i ddynion wedi bod ar ei drywydd ers wythnosau ac wedi ei ddilyn o un tref fechan i'r llall, yn aml yn cyrraedd ond ychydig oriau wedi iddo ef a Belle adael. Deallodd Morris fod Reed yn anelu am dref Paris yn Texas a phenderfynodd gymryd y ffordd fyrraf yno a hynny dros fynydd garw er mwyn ceisio'u dal. Bu i Morris a'i ddynion farchogaeth eu ceffylau'n galed drwy'r nos a chyrraedd Paris yn gynnar ar fore'r chweched o Awst 1874, ac roedd Reed, Belle a dau o'u dynion eisoes wedi cyrraedd. Roedd y salŵn yn agored mor gynnar â hynny yn y bore a cheffylau'r dihirod wedi'u clymu y tu allan, er bod Belle wedi mynd i westy cyfagos. Rhoddodd y *sheriff* orchymyn i'w ddynion amgylchynu'r salŵn ond i gadw allan o'r golwg a chamodd Morris i mewn i'r salŵn ac adnabu Reed o'n syth.

"James H Reed?" gofynnodd Sheriff Morris.

"Ie," atebodd Reed.

"Rwy'n dy arestio di am..." ond ni chafodd y *sheriff* gyfle i orffen ei frawddeg gan fod Reed wedi mynd am ei wn. Ond nid oedd Reed mor gyflym â'r gŵr o dras

Cymreig, a gwn Sheriff Morris a daniodd gyntaf. Llithrodd Reed i ganol llawr pren budr y salŵn a daeth gyrfa lleidr arall i ben – diwrnod da arall o waith i Sheriff John T Morris.

Roedd Cymry eraill yn ceisio cadw trefn yn y Gorllewin Gwyllt hefyd. Yn y llyfr *Y Cymry ac Aur Colorado* gan Eirug Davies sonnir am Sheriff Jesse Pritchard, yn wreiddiol o Gomer, Ohio, "a ofalai am gadw'r heddwch yn Central City ar un adeg. Yn ddiweddarach, symudodd i fod yn farshal dros ardal Leadville". Yn Georgetown, yn yr un ardal, bu John T Davies yn *sheriff* am gyfnod. "*Sheriff* yn Canon City oedd W S Jones a'r marshal a'i rhagflaenodd oedd J M Davies." "Bu un o'r enw Morgan Griffith yn *sheriff* yn Coal Creek am yn agos i bedair blynedd, ac mewn lle arall o'r enw Erie, clywyd am y Marshal Tom Williams."

## Cymry yn y *Texas Rangers*

Sefydlwyd y *Texas Rangers* yn 1835 gyda chant a hanner o ddynion yn y fintai a'u dyletswyddau oedd cadw trefn ar yr Indiaid ac atal ysbeilwyr rhag dod dros y ffin o Fecsico i ymosod ar y trigolion. Erbyn 1840 roedd ganddynt bencadlys parhaol yn San Antonio, a'r flwyddyn ddilynol y *Texas Rangers* oedd y cyntaf i ddefnyddio'r rifolfer Colt yn y gorllewin. Cymerodd y *Rangers* ran yn y Rhyfel Cartref, yn bennaf yn gwarchod yr ardal rhag ysbeilwyr o'r gogledd, ond bu i rai aelodau hefyd ymuno â byddin y de.

Wedi'r Rhyfel diddymwyd y *Texas Rangers* ond fe'u hailffurfiwyd yn 1874, yn bennaf i warchod yr ardal rhag dihirod o Fecsico a groesai afon y Rio Grande i ddwyn gwartheg. Gan eu bod bellach wedi'u gorchfygu a'u casglu i diriogaethau brodorol arbennig, ychydig iawn o drafferth a roddai'r Indiaid i'r trigolion erbyn hyn. Yn ôl y sôn, cariai pob *Ranger* ddau 'feibl' – y cyntaf oedd y Beibl Cysegr Lân a'r llall oedd llyfr o enwau'r dihirod yr oeddynt yn chwilio amdanynt! Parhaodd y *Rangers* yn weithredol tan Awst 1935 pan ddaethant yn rhan o'r *State Highway Patrol of Texas* ond erbyn yr ugeinfed ganrif roeddynt wedi newid eu rifolferi Colt am beiriantddrylliau bychain Thompson, ac ar y trydydd ar hugain o Fai 1934 roedd dau o'r *Rangers* yn ne Louisiana yn rhan o fintai o chwech a saethodd 160 o fwledi drwy gar Ford V8 gan ladd Clyde Barrow a Bonnie Parker (yr enwog Bonnie a Clyde).

Yn Austin, Texas, y cafodd Frank Jones ei eni, ei dad o dras Gymreig ac, yn 1873, yn ddwy ar bymtheg mlwydd oed, ymunodd Frank â *D Company* y *Texas Rangers* ac mewn dim o dro cafodd gyfle i gymryd rhan mewn brwydr gyda hwy. Roeddynt ar drywydd mintai o Fecsico oedd wedi bod yn dwyn ceffylau ac roedd Frank a dau arall yn teithio o flaen gweddill y *Rangers* yn dilyn ôl traed ceffylau'r dihirod, ond roedd y lladron wedi'u gweld yn dod o bell ac wedi cuddio y tu ôl i greigiau i ddisgwyl amdanynt. Taniodd y dihirod at y tri o'r *Rangers* gan saethu un ceffyl a thaflu ei farchog i'r ddaear. Neidiodd y ddau arall oddi ar eu ceffylau a chan lusgo'u cyfaill aethant y tu ôl i greigiau i gysgodi rhag y bwledi oedd yn chwyrlïo o'u cwmpas. Nid oedd sicrwydd y byddai gweddill y *Rangers* yn clywed y saethu ac felly doedd dim amdani ond ceisio trechu'r lladron, ond o fewn munudau cafodd un o'r *Rangers* fwled yn ei dalcen gan ei ladd yn syth. Gwibiodd Frank i un cyfeiriad tra aeth ei gyfaill i gyfeiriad arall er mwyn ceisio mynd y tu ôl i'r rhai oedd yn saethu tuag atynt ac fe gawsant beth llwyddiant gan iddynt saethu rhai o'r lladron.

Erbyn hyn roedd Frank ar graig y tu ôl i'r dihirod ond

nid oedd ei gyfaill mor ffodus gan iddo gael ei saethu yn ei frest wrth wibio o un graig i'r llall a gorweddai'n farw yn y llwch tra saethai Frank at weddill y lladron. Erbyn hyn dim ond tri o'r lladron oedd ar ôl gan fod y gweddill wedi'u saethu neu wedi dianc. Neidiodd Frank o du ôl i'r graig a saethodd ddau ohonynt yn farw gan ddal y llall yn garcharor a'i glymu ar draws ei geffyl i'w arwain i gyfarfod gweddill y *Rangers*. Wedi dychwelyd i'r pencadlys, dyrchafwyd Frank Jones yn gorporal am ei wrhydri.

Ymhen y rhawg, fe'i dyrchafwyd eto – y tro hwn yn sarjant. Un diwrnod roedd yn arwain saith o *Rangers* i chwilio am ladron oedd wedi bod yn dwyn ceffylau ac unwaith eto roedd y lladron wedi gweld bod Frank yn eu dilyn ac roeddynt yn barod amdano. Pan oedd y *Rangers* yn teithio drwy geunant bychan, saethodd y lladron atynt a lladdwyd tri o ddynion Sarjant Jones. O fewn dim cafodd Frank a gweddill y *Rangers* eu dal yn garcharorion ond buasai'n llawer gwell i'r lladron pe byddent wedi lladd Sarjant Jones oherwydd tra oeddynt yn brysur yn eu canmol eu hunain, cipiodd Frank reiffl Winchester o ddwylo un ohonynt a thanio'n wyllt i'w canol ac ymhen dim o dro roedd pob un o'r lladron yn gorwedd yn gelain a'u gwaed yn gwlychu'r ddaear sych o'u cwmpas.

Yn 1877 cafodd Frank Jones ei ddyrchafu unwaith eto; erbyn hyn roedd yn gapten ar *D Company* a chafodd dair blynedd prysur a gwaedlyd yn dal a lladd nifer o ladron oedd yn poeni trigolion Talaith y Seren Unig. Dwy flynedd ynghynt, roedd cyn-*Ranger* o'r enw Scott Cooley wedi saethu Dirprwy Sheriff Mason County, John Worley, yn farw. Saethwyd cyfaill i Cooley tra oedd ar ei ffordd i'r carchar yng ngofal Worley a rhoddai Cooley y bai am farwolaeth ei gyfaill ar y Dirprwy Sheriff. Erbyn hyn roedd rhai o gyfeillion Worley am waed Cooley a chafwyd ymladd gwaedlyd yn yr ardal; brwydro a alwyd yn ddiweddarach yn Rhyfel Mason County. Cafodd dwsinau eu lladd ac yn y diwedd galwyd ar y *Texas Rangers* i gadw trefn yno, er na chafwyd hyd i Cooley.

Rai blynyddoedd wedi hyn, sylwodd Frank Jones bod Cooley yn dal â'i draed yn rhydd a phenderfynodd fynd ar ei ben ei hun i chwilio amdano. Ond ni chafodd hyd iddo; yn hytrach cafodd dri dihiryn hyd i Gapten Jones gan ddisgwyl amdano y tu ôl i graig a saethu ato. Syrthiodd Jones oddi ar ei geffyl wedi i fwled ei daro yn ei frest a gorweddodd ar y ddaear gyda'r gwaed yn llifo o'i gorff. Roedd y dihirod yn sicr bod y *Ranger* yn farw ac aeth y tri oddi yno gan fynd â cheffyl Jones gyda hwy. Ond rai oriau'n ddiweddarach daeth Jones ato'i hun ac er bod ganddo anaf drwg yn ei frest, llusgodd ei hun ar draws y paith. Wrth iddi nosi gwelodd Jones olau yn y pellter ac ymlwybrodd yn araf tuag ato. Pan gyrhaeddodd gwelodd mai'r tri oedd wedi'i saethu oedd yno a phenderfynodd aros nes yr oeddynt wedi mynd i gysgu er mwyn sleifio atynt i ddwyn un o'r reiffls. Bu'n pwyso ar graig gyfagos drwy'r nos yn disgwyl iddynt ddeffro ac, ar doriad gwawr, stwyriodd y tri a gwaeddodd Jones ei fod yn eu harestio ond pan welodd nad oedd un am gydweithredu fe'i saethodd yn farw yn y fan a'r lle. Roedd hyn yn ddigon o gymhelliad i'r ddau arall godi'u dwylo gyn uched ag y gallent a chlymodd Jones hwy i'w ceffylau a'u tywys i bencadlys y *Rangers* yn San Antonio. Wedi cyrraedd darganfu mai lladron gwartheg oeddynt a bod yna bris ar eu pennau. Aethpwyd â'r ddau o flaen eu gwell a dedfrydwyd hwy i gyfnod hir mewn carchar.

Ar y nawfed ar hugain o Fehefin 1893, roedd Capten Frank Jones a phedwar *Ranger* arall ar drywydd tair cenhedlaeth o'r teulu Olguin – sef Clato'r hen ddyn, ei feibion Jesus Maria, Antonio a Pedro a mab Jesus Maria,

Severio, gan eu bod wedi bod yn dwyn gwartheg yn Texas. Bu'r *Rangers* yn eu dilyn am ddyddiau gyda'r lladron yn gwneud llwybr neidr i geisio dianc rhag y gyfraith, ond o'r diwedd daeth y *Rangers* ar eu gwarthaf wedi i'r lladron gyrraedd eu cartref cudd ar ynys *Tres Jacales* (Y Tri Chwt) yng nghanol afon y Rio Grande. Rhuthrodd Jones a'i ddynion am yr adeiladau gan eu gwthio'u hunain drwy'r drysau. Ond erbyn hynny roedd y rhan fwyaf o'r lladron wedi dianc gan adael dim ond yr henwr Clato ar yr ynys.

Cychwynnodd y *Rangers* yn ôl am eu gwersyll ond wedi mynd rai milltiroedd gwelsant ddau farchog ar y gorwel. Wedi nesáu gwelwyd mai mintai'r Olguin oeddynt. Roedd y dihirod wedi'u gweld a sbardunodd y ddau eu ceffylau i geisio dianc rhagddynt. Pan oedd y *Rangers* o fewn canllath iddynt mi gyrhaeddodd y ddau ddihiryn nifer o adeiladau oedd wedi'u codi ar ffurf cylch. Yn sydyn, daeth ergydion o'r adeiladau – roedd y dihirod, o leiaf ddwsin ohonynt, yn disgwyl am Jones a'i ddynion! Neidiodd y *Rangers* oddi ar eu ceffylau a chan ddefnyddio'u ceffylau fel tarianau dechreuwyd tanio'n ôl at fintai Olguin. Aeth bwled drwy glun Jones a disgynnodd i'r llawr. Daeth Corporal Kirchner ato i geisio'i helpu i godi ond daeth bwled arall a tharo Jones yn ei frest. "Yn ôl!" gorchmynodd Jones. Ceisiodd ddal ei reiffl yn sad, ond syrthiodd yr arf o'i law a disgynnodd Capten Jones am yn ôl – yn farw. Cymaint oedd y tanio o'r cytiau fel y bu raid i weddill y *Rangers* adael eu capten a symud yn ôl i gysgodi rhag y bwledi. Rhoddodd hyn gyfle i'r dihirod ddianc.

Sylweddolodd gweddill y *Rangers* eu bod wedi croesi'n ddiarwybod i dir Mecsico ac nad oedd ganddynt yr awdurdod i fod yno, ac felly gan ei bod yn nosi penderfynwyd dychwelyd i'r gwersyll. Gwnaed cais i'r awdurdodau yn nhalaith Juarez i gael mynd i gyrchu corff Capten Jones, ond gwrthodwyd yr hawl. Gyrrwyd negeseuon diplomyddol i Ddinas Mecsico ac o'r diwedd cytunodd yr Arlywydd Diaz, yn bennaf am ei fod – fel Jones – yn aelod o'r Seiri Rhyddion! Un o'r enw Sarjant John R Hughes oedd un o'r fintai a aeth i gyrchu'r corff a gofalu am eiddo personol y Capten.

Y gŵr a gymerodd yr awenau yn *D Company* wedi marw Jones oedd un arall o dras Gymreig – Capten John Reynolds Hughes, mab fferm o Cambridge, Illinois, gŵr a ddaeth yn ystod ei yrfa ar draws dynion fel John Wesley Hardin, Pancho Villa, Billy the Kid, Butch Cassidy, Pat Garret a'r Barnwr Roy Bean. Roedd taid a nain John Hughes yn dod o Gymru a bu ei dad, Thomas Hughes, ddwywaith yng Nghymru i ymweld â'i berthnasau. Ganol yr 1870au roedd Hughes yn gweithio ar fferm yn Oklahoma oedd yn cael ei blino gan rai'n dwyn gwartheg ac un diwrnod, wedi i gyfran reit helaeth o'r gwartheg ddiflannu, aeth Hughes ar drywydd y lladron. Bu'n eu dilyn am ddyddiau dros afonydd a mynyddoedd nes dod ar eu gwarthaf ger coedwig fechan ar lan afon lle'r oedd y lladron wedi aros i ddyfrio'r gwartheg. Roedd chwech ohonynt, gan gynnwys yr arweinydd Nig Goombi, ond carlamodd Hughes ar ei geffyl i ganol y dihirod gyda gwn ymhob llaw yn tanio o'i amgylch gan eu chwalu i bob cyfeiriad. Sacthwyd Goombi yn farw a chlymodd Hughes ef ar draws un o'r ceffylau a'i dywys yn ôl gyda'r gwartheg i'r fferm.

Erbyn 1877 roedd John Hughes wedi cyrraedd Texas a blwyddyn yn ddiweddarach roedd wedi prynu'i fferm ei hun. Unwaith eto, câi ei flino gan ladron gwartheg ac unwaith eto clymodd wn i'w wregys a mynd ar eu holau. Daeth ar eu gwarthaf yn niffeithwch Mecsico Newydd pan oedd y lladron yn paratoi i noswylio. Carlamodd Hughes unwaith eto ar gefn ei geffyl i'w mysg, ei ynnau'n tanio i'w canol a phan gliriodd y mwg roedd dau o'r lladron yn farw ac un arall wedi'i anafu. Clymodd Hughes ef i'w geffyl a'i hebrwng i swyddfa'r *sheriff* agosaf.

Ond parhau a wnaeth y dwyn, felly yn 1887 teithiodd John R Hughes i Georgetown, Texas, ac ymuno â'r *Texas Rangers*. Os oedd am ymladd lladron gwartheg, waeth iddo gael ei dalu am wneud hynny, meddai wrth lofnodi'r papurau yn y swyddfa. Erbyn 1893, wedi iddo ladd a chipio nifer o ladron oedd yn crwydro'r parthau hynny, cafodd ei ddyrchafu i fod yn sarjant yn *D Company*, *Frontier Division* ond rai misoedd yn ddiweddarach cafodd Frank Jones ei ladd a gwnaed Hughes yn gapten yn ei le.

Tasg gyntaf Hughes oedd dal y rhai a laddodd Capten Jones ac arweiniodd ei ddynion i lawr tuag at y Rio Grande. Fesul un ac un daethant ar warthaf aelodau o fintai Olguin oedd yn parhau i ysbeilio'r ardal ar y ffin â Mecsico. Cael eu saethu'n farw oedd tynged y rhan fwyaf o'r lladron er i un neu ddau gael eu dal yn fyw a'u trosglwyddo i ddwylo'r *sheriff* lleol. Un diwrnod clywodd y *Rangers* fod Olguin a'i fab mewn *cantina* mewn tref fechan ar y ffin a theithiodd Hughes a'i ddynion yno ar frys gan amgylchynu'r adeilad a gweiddi ar y dihirod i ollwng eu harfau a dod allan gyda'u dwylo yn yr awyr. Ond ni chymerodd yr un o'r ddau'r cyngor a daeth un allan drwy'r drws a'r llall drwy'r ffenest gyda'u gynnau'n tanio ar y *Rangers*. Eiliadau'n ddiweddarach – wedi saethu di-baid y *Rangers* – gorweddai Olguin a'i fab yn farw, eu gynnau'n dal yn eu dwylo.

Nid âi Hughes â'i ddynion gydag ef bob amser ac âi i chwilio am rai dihirod ar ei ben ei hun ac felly y bu hi pan aeth i chwilio am Juan Perales oedd wedi croesi'r Rio Grande ac wedi bod yn dwyn a lladd yn ardal y ffin. Un bore gadawodd Hughes yn gynnar; roedd ganddo ddigon o fwyd am saith diwrnod a darn o bapur a manylion Perales arno. Crwydrodd bentrefi distadl y ffin gan holi hwn ac arall ond er bod pawb wedi clywed am Perales ni wyddai neb lle roedd ef. Yna clywodd Hughes fod gŵr wedi cael ei lofruddio ar gyrion un o'r pentrefi ac aeth draw yno. Roedd y llofrudd o'r un disgrifiad â Perales a chan nad oedd ond diwrnod ers y llofruddiaeth aeth Hughes i'r cyfeiriad y gwelwyd y llofrudd yn diflannu ddiwethaf. Daeth ar draws olion ceffyl a phenderfynodd eu dilyn ac yna, rai oriau'n ddiweddarach, gwelodd het gantel enfawr Fecsicanaidd y tu ôl i graig. Llithrodd yn llechwraidd tuag at yr het ac yno'n cael cyntun rhag gwres poeth canol dydd roedd Perales. Cerddodd Hughes tuag ato, ei wn wedi ei anelu at y llofrudd a rhoddodd gic i un o'i goesau i'w ddeffro. Aeth Perales am ei wn ond sylweddolodd pwy oedd yn ei wynebu a chyda gwên ar ei wyneb ildiodd i'r Capten.

Dros y blynyddoedd a ddilynodd bu'r Capten John R Hughes yn gyfrifol am chwalu nifer o finteioedd o ladron a mân droseddwyr yn yr ardal yn ffinio â Mecsico ond yn 1915, pan oedd yn drigain oed, penderfynodd adael y *Rangers* a bu farw yn Austin, Texas, yn 1946 yn 91 ocd.

## Y Gweinidog ymysg gwŷr meddw Mecsico

Nid y *sheriffs* a'r *marshals* oedd yr unig rai a geisiai ddod â gwareiddiad i'r Gorllewin Gwyllt. Teithiai nifer o bregethwyr i'r ardal i geisio achub eneidiau'r trigolion – heb fawr o lwyddiant fel arfer. Yn 1881, penderfynodd y Parchedig W D Evans fynd i bregethu i rai o daleithiau gorllewinol America gan deithio o un dref i'r llall mewn *stagecoach* ac aros pan oedd yn bosib gyda Chymry oedd wedi ymsefydlu yno.

Ond nid oedd Cymry yn La Junta, Colorado, pan gyrhaeddodd yno ar y nawfed ar hugain o Dachwedd

1881. Y noson honno, wrth iddo ddisgwyl am y goets i
adael y dref, aeth y Parchedig Evans a'r teithwyr eraill i
*cantina* cyfagos ac archebu coffi a wnaeth y gweinidog,
tra cafodd y teithwyr eraill wydraid o gwrw'r un. Ond nid
pawb oedd mor gymhedrol yn y *cantina* ac am hanner
nos ymlusgodd pedwar o Fecsicaniaid meddw i mewn.
Archebodd bob un botelaid o wirod ac aethant i eistedd
at y stôf oedd ynghanol y llawr gan gadw'r gwres oddi
wrth bawb arall oedd yn yr ystafell.

Dechreuasant ddadlau ynglŷn â pha un ohonynt oedd
y saethwr gorau. Nid oedd yr un am ildio a thynnodd y
pedwar ei rifolfer allan gan eu chwifio uwch eu pennau.
Symudodd y gweinidog a theithwyr eraill y goets fawr yn
ôl gan gadw'u cefnau ar furiau'r *cantina* a'u llygaid ar y
drws agosaf. Erbyn hyn roedd y pedwar meddw ar eu
traed ac yn bwriadu dechrau saethu at botiau pridd oedd
yn amgylchynu muriau'r *cantina*, ond ar hynny cerddodd
gwarchodwr y goets i mewn a reiffl yn ei law yn barod i
danio a gorchmynnodd y pedwar i gadw'u harfau ar
unwaith ac i adael y *cantina*. Er mawr syndod, ufudd-
haodd y pedwar ac o fewn dim clywyd carnau'u ceffylau'n
gwibio i lawr stryd lychlyd y dref gan ddiflannu i'r nos.
Roedd y goets fawr yn barod i gychwyn ac nid cyn pryd
gan fod y Parchedig W D Evans yn falch iawn o gael gadael
La Junta.

## Annie Ellis – Cyfaill y Da a'r Drwg

Nid dynion yn unig a fentrai tua'r gorllewin; roedd llawer
o ferched hefyd yn eu plith wrth gwrs. Un a welodd ochr
waethaf bywyd y cyfnod oedd Annie Ellis a anwyd yn
Nolgellau yn 1845. Cyrhaeddodd America yn dair ar ddeg
oed gyda'i brawd hŷn ac er ei fod i edrych ar ei hôl, pan
gyraeddasant Kansas City gadawyd Annie ar ei phen ei

*Arferai Wyatt Earp aros yn nhŷ lojin Annie Ellis.*

hun. Gwelwyd hi'n crwydro'n unig hyd strydoedd y dref ac aethpwyd â hi at yr awdurdodau. Rhoddwyd Annie yng ngofal sefydliad elusennol a edrychodd ar ei hôl tan oedd hi'n bedair ar bymtheg oed.

Wedi gadael y cartref, priododd â David Rule, saer crwydrol oedd bum mlynedd ar hugain yn hŷn na hi. Tua 1870 cyrhaeddodd y ddau Abilene, Kansas, ond ychydig o fywyd teuluol a gawsant gan fod ei gŵr yn gweithio i'r fyddin ac yn teithio o un gwersyll i'r llall. Yn 1871 daeth Annie'n gyfeillgar â Wild Bill Hickock a gafodd waith iddi mewn tŷ bwyta a'i galluogodd hi i gynilo digon o arian i agor tŷ lojin yn Wichita. Ymysg ei chwsmeriaid yno roedd enwogion megis Wyatt Earp a Bat Masterson, ond wnaeth hi fawr o arian o'r tŷ lojin a phenderfynodd symud i Dodge City i geisio gwell lwc. Yn ystod y cyfnod hwn roedd ei gŵr yn gweithio yn Kansas City ac un diwrnod aeth i'r banc yno i godi arian. Aeth â'i arian yn ôl i'w westy ac yn ddiweddarach y noson honno, torrodd rhywrai i mewn i'w ystafell, ymosod arno gan ei ladd a dwyn ei arian. Nid oedd gan Annie waith ar y pryd ac wedi iddi golli ei gŵr roedd pethau'n o ddrwg arni.

Ond ailbriododd – y tro hwn â ffermwr cyfoethog o'r enw George Anderson a chafodd arian gan ei gŵr newydd i brynu tir oddi wrth Bat Masterson a hefyd i agor tŷ lojin arall a bwyty ar Second Avenue, Dodge City. Yma eto deuai rhai o enwogion y cyfnod i aros a bwyta – Wyatt Earp a Bat Masterson yr oedd hi eisoes yn gyfarwydd â hwy, Luke Short a Bill Tilghman. Roedd Bill yn un o *deputies* Earp ac un tro pan oedd wedi mynd yn groes iddo ac Earp ar ei warthaf, benthycodd Tilghman un o ffrogiau Annie er mwyn dianc oddi wrtho drwy ddrws cefn y tŷ lojin!

Bu llewyrch ar fusnesau Annie wrth i wareiddiad a masnach ddod i'r gorllewin gyda'r trefi'n newid o fod yn bentrefi un-stryd, un-ceffyl i fod yn drefi llewyrchus gyda phob math o adnoddau. Bu farw Annie Ellis Rule Anderson yn 1931, yn ddynes gymharol gyfoethog. Yn ôl Annie roedd *sheriffs* a *marshalls* y cyfnod fcl Earp a Masterson yn "fonheddwyr... mi roedden nhw o hyd yn rhoi cyfle i'w gelynion".

# DILYN YR AUR

Yn ystod y bedwaredd ganrif ar bymtheg heidiodd miloedd tua'r gorllewin â'u bryd ar wneud eu ffortiwn drwy ddarganfod aur, arian neu fwynau gwerthfawr eraill, ac yn naturiol roedd nifer o Gymry yn eu mysg, nifer â phrofiad o gloddio yn yr hen wlad. Codai gwersylloedd ble bynnag y ceid hyd i fwynau gwerthfawr a datblygodd rhai o'r gwersylloedd yn drefi o gryn faint, ond llefydd gwyllt a digyfraith oedd y mwyafrif. Roedd llawer mwy o drais yn y trefi hyn nag yn y trefi a godwyd ar gyfer masnach; yn bennaf oherwydd bod rhai'n gwario'u cyfoeth i gyd ar ddiod ac eraill na fu mor lwcus yn y cloddfeydd yn ceisio dwyn y cyfoeth oddi arnynt. Tref nodweddiadol oedd Candelaria, Nevada, a sefydlwyd yn 1865. Nid yn unig y cyhoeddid dau bapur newydd yno, ond roedd yno hefyd un ar ddeg salŵn, chwe thŷ bwyta a dau westy, ac yn y rhan a elwid yn Pickhandle Gulch roedd yno ddeg putain yn cynnig gwasanaeth pedair awr ar hugain. Roedd saethu'n gyffredin iawn yno a llawer iawn yn cael eu lladd ond gallai pawb bledio mai eu hamddiffyn eu hunain yr oeddynt. Yn wir yn ystod cyfnod o dros ddeugain mlynedd o fodolaeth dim ond saith a gafodd eu cyhuddo o lofruddiaeth yno, er na chafodd neb ei arestio ynglŷn â'r troseddau hyn. Yn aml iawn nid oedd na *sheriff* na *marshall* i gadw trefn yn y trefi hyn, a phe byddai un ni fyddai'n para fawr ddim yn y swydd. Cafodd tref Tin Cup, Colorado, er enghraifft, bedwar *sheriff* rhwng 1881 ac 1883; saethwyd tri'n farw o fewn dim i ddechrau'u swyddi a bu raid mynd â'r pedwerydd i wallgofdy!

## Dynion y Salŵn

Un o'r miloedd a aeth draw tua'r gorllewin i geisio'i lwc oedd Edward Davies. Gweithiwr ym mwynfeydd Nant Bwlch yr Heyrn ger Llanrwst ydoedd, ond roedd yn fwy adnabyddus yn y cylch fel cerddor dawnus – yn bianydd ac yn arweinydd. Tua 1891 ymfudodd i America i ymuno â'r *Gold Rush* yng Ngholorado, gan ddisgwyl i'w wraig a'i blant ei ddilyn yno, ond penderfynon nhw aros yn Llanrwst. Ymddengys na ddaeth Edward Davies o hyd i lawer o aur, ond o leia roedd ei dalent gerddorol yn gymorth iddo gan mai'r peth diwethaf a glywyd amdano oedd ei fod yn canu'r piano mewn salŵns i gadw dau ben llinyn ynghyd!

*Edward Davies a'i fedalau cyn gadael am America.*

Un arall a fu'n diddanu mynychwyr y salŵns oedd John G Jones a anwyd ym Methesda, gogledd Cymru, yn 1869 ac a ymfudodd i America pan oedd yn ifanc gan gyrraedd ardal Cripple Creek, Colorado, yn yr 1890au cynnar. Roedd John (neu Jack fel y'i gelwid gan y teulu) a dau arall yn teithio o gwmpas salŵns yr ardal efo sioe lwyfan – y ddau ddyn yn 'darllen' meddyliau'r gynulleidfa a Jack yn eu diddanu drwy ganu.

Nid oedd Jack wedi sgwennu adref at ei fam yng Nghymru ers nifer o wythnosau a chan fod ei fam yn ddynes grefyddol mi gysylltodd â Byddin yr Iachawdwriaeth er mwyn ceisio cael neges ato. Gwyddai hi fod Jack yn canu mewn salŵn yn Cripple Creek a threfnodd i'r Fyddin fynd y tu allan i'r salŵn a chanu 'Mae'ch mam yn disgwyl clywed gennych, Jack annwyl' dros y lle ac wedi hynny ysgrifennai Jack Jones adref yn wythnosol! Bu iddo hyd yn oed fynychu rhai o gyfarfodydd y Fyddin a dywedir iddo gymryd ffansi at un o'r merched oedd yno ac iddo fynd i un o'r cyfarfodydd i geisio'i pherswadio i fynd allan gydag ef, ond cafodd belten ar draws ei wyneb a dyna'r tro olaf i'r Fyddin ei weld yn eu cyfarfodydd!

## Daniel W Williams a Threfi'r Mwynwyr

Gadawodd Daniel W Williams Benmaen, Sir Fynwy, gan gyrraedd Bannack, Montana, fis Gorffennaf 1863 i chwilio am aur ac arian. Ar y ffordd yno, roedd wedi galw yn Rock Island, Illinois, gan deithio ymlaen drwy Kearney, Fort Laramie a Sweetwater. Bu'r daith hon yn hynod beryglus gan y bu ond y dim iddynt gael eu lladd gan Indiaid a bu raid iddynt gael eu hachub gan y fyddin.

Wedi gadael y *wagon train* anelodd Daniel Williams am dref Bannack ym Montana. Tref mwynwyr oedd Bannack gan fod aur wedi'i ddarganfod gerllaw yn

Grasshopper Creek yn 1862 a chododd y dref bron dros nos. Nid oedd yna fawr o gyfraith a threfn yn y dref gan fod y *sheriff* yn gyfeillgar â rhai o'r troseddwyr oedd yno a dywedir bod o leiaf un person yn cael ei saethu neu ei drywanu bob nos yn salŵn Syrus Skinner. Ar un adeg bu Bannack yn brifddinas Montana ond erbyn hyn nid oes fawr ddim ar ôl ond gweddillion ambell adeilad. Pan gyrhaeddodd Williams yno yn 1863, un o'r rhai cyntaf iddo gyfarfod oedd gŵr o'r enw Haze Lyons, a daeth yn bur gyfeillgar ag ef er nad oedd yn gwybod dim o'i hanes ar y pryd.

Roedd Lyons yn aelod o fintai Sheriff Henry Plummer oedd yn ymosod ar goetsys yr ardal. Dyn drwg oedd Plummer er ei fod yn gwisgo'i seren bum pig, ac ym misoedd olaf 1863 pan ddaeth ei brif *deputy* – gŵr o'r enw Dillingham – i amau bod ganddo ran yn y dwyn, cafodd Lyons y gwaith o'i ladd. Un noson roedd Dillingham yn cerdded strydoedd Bannack yn gwneud yn siŵr fod popeth yn iawn yno ond ym mhen draw'r stryd fawr roedd Lyons a gwn yn ei law'n disgwyl amdano. Wrth i'r *deputy* ddod yn nes, paratôdd Lyons ei wn a phan oedd o fewn hanner canllath iddo neidiodd allan o gefn yr adeilad gan danio ar Dillingham a syrthiodd hwnnw i'r llawr – yn farw. Ond mewn dim o dro cafodd Lyons ei ddal gan y'i gwelwyd yn carlamu allan o'r dref funudau wedi'r ergyd, ac o fewn rhai dyddiau daeth un arall o *deputies* Bannack ar ei draws a'i arestio. Llusgwyd ef i'r llys ac yno – fel tystiolaeth ar ei ran – darllenwyd allan ei lythyr olaf at ei fam, llythyr a ddaeth â deigryn i lygaid y mwynwyr caled. "Rhowch ff***n ceffyl iddo a gadewch iddo ddychwelyd at ei ff***n fam!" oedd cri'r mwynwyr a gadawyd i Lyons fynd o'r llys yn ddyn rhydd. Ond ni chafodd weld ei fam eto oherwydd ar fore oer 14 Ionawr 1864 cafodd criw o *vigilantes* afael ynddo a'i grogi yn y fan a'r lle.

Nid arhosodd Daniel Williams yn hir yn Bannack oherwydd clywodd fod pawb yn mynd i'r cloddfeydd yn Alder Gulch. Dim ond deufis oedd ers i aur gael ei ddarganfod yno, ond eisoes roedd rhwng mil a mil a hanner o bobl wedi cyrraedd y lle, yn byw ar ddarn o dir tua deng milltir o hyd mewn pebyll a thyllau yn y ddaear. Tyfodd y drefedigaeth hon i fod yn Virginia City, tref a ddeuai ymhen rhai blynyddoedd yn gartref i gynifer â phum mil ar hugain o bobl. Erbyn hyn dim ond rhyw bum cant sy'n byw yno ond mae'n un o ganolfannau ymwelwyr pwysicaf Nevada.

Er hynny ni chafodd Williams fawr o lwc yno a symudodd i Bachelor Gulch ac yno cyfarfu â George Ives – un arall o giwed Sheriff Plummer. Roedd Ives wedi dod i Bachelor Gulch o Virginia City ac roedd yn holi hanes hwn a'r llall a ble'r oedd y cloddfeydd cyfoethocaf. Bwriad Ives oedd dwyn cyfoeth y mwynwyr oddi arnynt, ond er iddo ef a'i fintai fod yn eithaf llwyddiannus ar y dechrau, fe'u daliwyd yn weddol fuan. Cawsant eu llusgo i Nevada City gan fintai o'r mwynwyr a bu Daniel Williams a channoedd o'i gyd-fwynwyr yn y llys yn gweld Ives a'i gyfeillion o flaen eu gwell. Cymaint oedd gallu'r cyfreithiwr ifanc oedd yn erlyn fel nad oedd gan y dihirod obaith dod yn rhydd ond yng nghefn y llys, clywodd Williams un o gyfeillion y dihirod ac un oedd yn gamblwr o fri'n sibrwd *"We'll fix the guy"*. Aeth Williams at rai o'i gyfeillion ac adrodd yr hyn oedd wedi'i glywed a llwyddasant i gael y cyfreithiwr ifanc o'r llys ac yn ôl am Virginia City yn ddianaf. Wedi'r achos llusgwyd Ives a'i gyfeillion allan o'r llys a'u crogi'n syth.

Llysoedd oedd y rhain oedd yn cael eu trefnu gan y mwynwyr eu hunain – oherwydd nid oedd na chyfraith na threfn yn Bachelor Gulch na'r trefi eraill yn ardaloedd y mwyngloddio ac nid lladron oedd yr unig rai a ymddangosai o flaen y llysoedd hyn. Un noswaith, cafodd Daniel Williams ac eraill eu galw i un o'r llysoedd ac yno roedd gwraig yn cwyno bod ei gŵr yn feddw'n feunyddiol ac yn ei cham-drin. Roedd hi'n gweithio'n galed yn golchi dillad er mwyn ennill ychydig o arian, ond roedd ei gŵr yn mynd â'r cyfan ac yn ei wario ar wisgi, ac wedi i'r wraig ddangos ei chleisiau i'r mwynwyr buont fawr o dro'n cael y gŵr yn euog o'i cham-drin. Gan nad oedd carchar yn y dref ar y pryd, nid oedd ganddynt ond dau ddull o gosbi – crogi neu hel y dihirod allan o'r dref. Yn yr achos hwn, dewiswyd yr ail, yn ogystal â chwipio'r dyn ddeugain o weithiau. Ond roedd ganddo gyfeillion yn y dref, a chyn codi'r chwip dechreuodd y rheiny ymladd â'r mwynwyr ac yn y cythrwfl dihangodd y dihiryn i'r bryniau.

Mewn llys arall tebyg, mae Daniel Williams yn cofio'r diffynnydd yn tynnu rifolfyr allan a'i anelu at fwynwr oedd wedi dod ag achos yn ei erbyn. "Un gair arall ac mi fyddi di'n ddyn marw," meddai'r diffynnydd, ond aeth pawb oedd yn y llys at eu gwregysau a thynnu rifolfyr yr un allan a chafodd y gŵr hwnnw hefyd ei yrru allan o'r dref.

Ond yr oedd Cymry hefyd ymysg y rhai a achosai drafferthion yn y trefi a'r pentrefi hyn. Dyma ddyfynnu o'r llyfr *Y Cymry ac Aur Colorado* gan Eirug Davies:

*Yng ngwanwyn 1874 aeth rhai o Gymry Spanish Bar i helbul tra oeddynt yn Idaho Springs a'r canlyniad fu rhoi rhybudd i'r Cymry gadw draw. Yr oedd hyn yn fwy na allasai'r Cymry ddal, ac felly ar un nos Sadwrn aeth tua dwsin ohonynt i'r pentref. Daethant wyneb yn wyneb â'u gelynion, a phenodwyd un o bob ochr i ymladd. Dewisodd y Cymry Evan S Evans a'r ochr arall Ellmyn o'r enw Rueder. Ond wedi mynd allan a thynnu eu dillad, gwrthododd yr Ellmyn ymladd. Fodd bynnag, diwedd hyn oll oedd i'r Cymro John Hughes Ffordd Deg gael ei drywanu gan yr Ellmyn yn hollol ddirybudd.*

Dyma achos arall o'r un llyfr:

*Ymhlith y tri ddihangodd nos Sul o garchar Canon City yr oedd un yn Gymro, fel y mae gwaetha'r modd. Gobeithiwn tra bydd William Parry ar ei ymgyrch am ddinas noddfa, y bydd iddo gofio anrhydedd ei genedl o hyn allan trwy gadw draw oddi wrth bob profedigaeth.*

*Cloddio am fwynau Colorado*

# Y COWBOIS A PHERCHNOGION Y *RANCHES*

Deuai llawer o'r Cymry a ymfudodd i America o gefndir amaethyddol; rhai'n ddigon cefnog i brynu eu fferm neu eu *ranch* eu hunain ac eraill yn gweithio fel cowbois ar y ffermydd hyn. O'r Sbaeneg y daw'r gair *ranch*, gyda llaw, o *rancho*, sy'n golygu 'y rhai sy'n bwyta gyda'i gilydd'. Ffermydd gwartheg oedd y rhan fwyaf – yn enwedig ar y dechrau – ac roedd yna dri math o wartheg: y gwartheg hirgorn, gwartheg Henffordd a rhai o frid cymysg. Y gwartheg hirgorn oedd y rhai mwyaf cyffredin tan ddiwedd yr 1880au pan ddaeth gwartheg Henffordd yn fwy cyffredin (mwy am hyn maes o law). Gwartheg o Andalusia yn Sbaen oedd y rhai hirgorn, wedi'u cludo i America ac mewn llawer ardal wedi'u gadael i redeg yn wyllt ar hyd y gwastatiroedd. Er nad oeddynt yn arbennig o dda am gynhyrchu cig, roeddynt yn anifeiliaid gwydn ac yn ffynnu ar dir anial. Llwyddodd nifer o'r gwynion i ddod yn ffermwyr cefnog heb fawr o arian gan fod tir yn rhad a gallent ddal y gwartheg gwylltion heb dalu dimai (neu sent) amdanynt. Anfantais y gwartheg hirgorn oedd eu bod yn rhai blin a mileinig a phan ddaeth y gwartheg Henffordd a chroesfrid Hirgorn-Durham neu Hirgorn-Henffordd yn fwy poblogaidd daeth bywyd yn dipyn haws i'r cowboi. Er mwyn cael tir i'r gwartheg hyn bori, yn aml bu raid gyrru'r byfflos o'u cynefin a rhwng y ffermwyr a'r adeiladwyr rheilffyrdd diflannodd yr anifeiliaid hyn o'r Gorllewin Gwyllt.

Roedd llawer o'r tiroedd yn nwylo ychydig o ddynion pwerus, nifer ohonynt yn byw yn y dwyrain a hyd yn oed rhai dramor, a gweithiai cannoedd o gowbois i'r ffermydd mawr hyn. Yn y dyddiau cynnar byddai modd i gowboi gael ei fferm fechan ei hun heb fawr o drafferth gan y byddai'n draddodiad i unrhyw un ohonynt gael dal a chadw *mavericks* ei feistr (sef lloi heb famau), ond fel yr aeth tir a phorfa'n brinnach daeth yr arferiad hwn i ben. Er hynny, roedd angen gwartheg ar y ffermwyr bach a chan eu bod wedi arfer eu cael am ddim, buan iawn yr aeth rhai ati i ddwyn anifeiliaid eu cyn-feistri, a byddai rhai o'r perchnogion mawr yn llogi gwŷr â gynnau nid yn unig i warchod eu hanifeiliaid ond i hel y ffermwyr bychain o'r ardal.

Daeth nifer o'r ymfudwyr hefyd yn llwyddiannus drwy fagu ceffylau, yn aml yn eu gwerthu i'r fyddin oedd eu hangen i gadw'r Indiaid draw oddi wrth y gwynion (ac fel arall yn aml iawn). Unwaith eto, anifeiliaid gwylltion oedd sail cyfoeth aml i ffermwr ac aent allan gyda'u *lasso* neu *lariat* i ddal y *mustangs* gwylltion ar y *prairie* – a'r geiriau hyn oll eto wedi eu gadael gan y Sbaenwyr.

Er mai'r ffermwyr gwartheg oedd y rhai cyntaf yn y gorllewin, yn fuan iawn sylweddolodd ffermwyr defaid hefyd fod posibiliadau gwneud doler neu ddwy. Roedd cystadleuaeth rhwng y gwartheg a'r defaid am borfa ac yn aml iawn, unwaith yr oedd defaid wedi bod yn pori darn o dir ni fyddai dim ar ôl i'r gwartheg. Cwynai'r ffermwyr gwartheg na hoffai'u hanifeiliaid arogl y defaid ac y byddent yn gwrthod pori lle'r oedd defaid wedi bod eisoes ac i nifer o'r cowbois, nid oedd defaid yn anifeiliaid 'Americanaidd' go iawn – dim ond gwartheg a cheffylau ddylai fod yn y gorllewin. Ond eu gwrthwynebiad pennaf oedd mai mewnfudwyr diweddar – Albanwyr, pobl o Wlad y Basg a rhai o Fecsico – oedd yn ffermio defaid. Yn aml iawn, byddai gwŷr y gwartheg yn bygwth y ffermwyr defaid gan ladd y defaid a llosgi'u teisi gwair, ac ambell dro'n saethu rhai o'r bugeiliaid. Roedd yn llawer haws i rai heb fawr o arian ddod yn ffermwyr defaid gan fod yr anifeiliaid hyn yn rhatach na gwartheg ac yn tyfu a phesgi mewn llai o amser, ac felly câi'r ffermwyr eu harian yn ôl yn gynt. Nid oedd angen cynifer o ddynion i edrych ar eu hôl ychwaith – yn aml dim ond un dyn a'i gi i edrych ar ôl rhwng mil a hanner a thair mil o ddefaid.

## George Price a gwŷr amlwg y gorllewin

Un a ddaeth yn ffermwr cefnog ac ar yr un pryd ddod ar draws rhai o wŷr amlwg y cyfnod oedd George Price. Roedd ei dad, Morris Price, wedi gadael fferm Wern Goch, Abaty Cwm Hir, ger Rhaeadr Gwy, Powys, a mynd draw i America gan gyrraedd Big Rock, Kane County,

*Arferai Buffalo Bill brynu ceffylau gan George Price.*

Illinois, ac ymsefydlu ar fferm fechan yno. Daeth yn ffermwr llwyddiannus ac mae nifer o lefydd yno wedi cael eu henwi ar ôl y teulu. Pan oedd George yn ddyn ifanc gadawodd Big Rock a phrynu *ranch* dair mil o erwau ym Mead County, de Dakota, ar lethrau'r Black Hills, a bu'n magu ceffylau ar gyfer y cafalri. Bob hyn a hyn deuai'r milwyr i'w fferm i brynu'r ceffylau a chan fod Wild Bill Hickock a Buffalo Bill yn gweithio fel sgowts i'r fyddin deuent i fferm George Price i brynu meirch.

Un arall oedd yn y fyddin ar y pryd – yn gofalu am y mulod – oedd Martha Jane Cannary neu Calamity Jane ac roedd hithau'n ymwelydd cyson â'r *ranch*. Roedd Martha Jane yn gwisgo fel dyn a thybir bod y fyddin yn credu mai bachgen oedd hi pan ymunodd hi, ond er ei bod yn gwisgo ac yn ymddwyn fel dyn cafodd ei thaflu allan unwaith y daeth y gwirionedd i'r golwg. Yn ddiweddarach bu iddi briodi Wild Bill Hickock a chael plentyn ganddo ond saethwyd ei gŵr yn farw ar yr ail o Awst 1876 ac er i Cannary briodi unwaith eto, ni fu'r briodas honno yn fawr o lwyddiant ac ymunodd â Sioe Buffalo Bill yn Awst 1883 a theithio'r byd, gan gynnwys Cymru.

Er i George Price lwyddo'n rhyfeddol ym Mead County a dod â 'gwareiddiad' i'r ardal, doedd y lle ddim heb ei beryglon. Nid yn unig gorfu iddo ymdopi â'r tywydd, tanau ar y paith, yr Indiaid a dihirod ond wynebodd hefyd gryn anlwc. Cafodd Vernon, un o'i feibion, ei ladd pan oedd allan ar gefn ei geffyl gydag Indiad ifanc a'r ddau'n carlamu ar eu ceffylau drwy goedwig gyfagos. Trodd Vernon i daflu cneuen at yr Indiad, ond ni welodd y gangen oedd ar ei lwybr a thrawyd ef yn ei ben a'i ladd yn syth.

Cymro arall a ddaeth ar draws Wild Bill Hickock oedd John Rowlands a anwyd yn y wyrcws yn Llanelwy. Newidiodd ei enw i H M Stanley a daeth yn enwog fel yr

un a ddarganfu Livingstone yn Affrica, ond cyn hynny
bu yn America'n ysgrifennu erthyglau i nifer o bapurau a
chylchgronau. Un o'r erthyglau hynny – ar gyfer y *Weekly
Missouri Democrat* yn St Louis – oedd cyfweliad â James
B (Wild Bill) Hickock yn 1867:

> *Stanley: Faint o ddynion gwyn y bu i chi eu lladd, Bill?*
>
> *Hickock: Mi fyddwn i'n fodlon tyngu llw ar y Beibl i
> mi ladd dros gant.*

Aeth Wild Bill ymlaen i sôn sut y lladdodd ei ddyn
cyntaf:

> *Roeddwn yn wyth ar hugain oed pan leddais y dyn gwyn
> cyntaf, ac mi roedd yn haeddu hynny gan ei fod yn gamblwr
> a lleidr o fri. Roeddwn wedi rhentu ystafell mewn gwesty yn
> Leavenworth City, ac yn gorwedd ar y gwely'n hanner cysgu
> pan glywais rywun wrth y drws. Estynnais fy rifolfer a'm
> cyllell a chymryd arnaf fy mod yn cysgu. Agorodd y drws.
> Roedd pump ohonynt yno ac roeddynt am fy lladd a dwyn
> fy arian. Estynnodd un ei gyllell a'i rhoi wrth fy mrest, ond
> cyn iddo gael cyfle i'm trywanu, tynnais fy nghyllell fy hun
> o'm gwregys a'i gwthio i'w galon. Yna tynnais fy ngwn allan
> a'i danio at y gweddill gan anafu un ond bu iddyn nhw
> lwyddo i ddianc i lawr y grisiau.*

> *Rhedais allan o'm hystafell a charlamais ar gefn fy ngheffyl
> i'r ffort agosaf gan ddweud beth oedd wedi digwydd a daeth
> dwsin o filwyr gyda mi yn ôl i'r gwesty. Roedd y dihirod
> wedi dychwelyd a bu inni eu dal i gyd – pymtheg ohonynt
> Yna, aethon ni i chwilio drwy'r gwesty ac yn y seler mi
> gawson ni hyd i un ar ddeg o gyrff – mi allwn i'n hawdd fod
> y deuddegfed!*

Yn rhinwedd ei swydd fel newyddiadurwr, bu i H M
Stanley deithio gyda'r US Cavalry ym Missouri a Kansas
yn eu hymgyrchoedd yn erbyn yr Indiaid. Ar 21 Hydref
1867 roedd Stanley yn Medicine Lodge Creek, Kansas,
pan ddaeth 7,000 o Indiaid i arwyddo cytundeb heddwch

*Llun o Charles S Thomas oddi ar boster pan oedd yn ceisio am swydd yn sir Laramie.*

â Llywodraeth yr Unol Daleithiau. Ymysg y llwythau roedd y Kiowas, Comanchees a'r Arapahoes. Rhoddwyd tiroedd i'r Indiaid ar lannau afonydd Red a Washita fel rhan o'r cytundeb.

## Charles Samuel Thomas a'r *Cattle Drives*

Gadawodd Charles Samuel Thomas Langynog ar lethrau mynyddoedd y Berwyn yn 1878 ac ymfudo i America, ac yno aeth ati i fagu gwartheg.

Ymsefydlodd yn gyntaf yn Cleveland cyn symud ymlaen i Denver, Colorado, ac yno bu'n gweithio i gwmni gwerthu cig. Ond erbyn 1880, roedd wedi cyrraedd Cheyenne lle bu'n gweithio i gwmni oedd yn magu gwartheg ac yn gwerthu eu crwyn. Roedd y cwmni hefyd yn gwerthu cig i'r milwyr yn Fort Laramie ac yn prynu crwyn gan yr Indiaid ac fel rhan o'i waith teithiai Thomas i'r bryniau cyfagos i gyfarfod yr Indiaid i brynu'u crwyn.

Un tro, ar un o'r teithiau hyn, marchogai ei geffyl trwy goedwig fechan. Yn sydyn, neidiodd Indiaid allan o'r coed a thynnodd Thomas ei ynnau a thanio atynt, ond roedd yr Indiaid yn neidio ato o bob cyfeiriad a'u saethau'n gwibio heibio'i ben. Er iddo daro nifer ohonynt cyn iddynt ddod yn agos ato, llwyddodd un i ddod ato a'i daro yn ei ben â *tomahawk*. Syrthiodd Thomas oddi ar ei geffyl ac er bod gwaed yn tasgu o'r archoll yn ei ben, llwyddodd i barhau i danio'i wn. O'r diwedd cafodd yr Indiaid ddigon a bu iddynt ffoi yn ôl i'r goedwig. Cododd Thomas ar ei draed a gwelodd ei fod wedi lladd pump ohonynt. Cafodd hyd i'w geffyl, neidiodd ar ei gefn a ffoi yn ôl am ddiogelwch Fort Laramie.

Yn ddiweddarach, ymunodd ei frawd John ag ef a phrynwyd fferm yn yr ardal, ac o fewn ychydig amser roedd ganddynt bedair mil o erwau o dir. Yn 1884, prynodd y brodyr ddwy fil a hanner o wartheg hirgorn ym Mecsico a gyrrwyd hwy ar draws afon y Rio Grande gyda chymorth y *Texas Rangers* i'w gwarchod rhag yr Indiaid a'r lladron. Aethant gyda hwy cyn belled â La Junta, Colorado, lle daeth nifer o weithwyr Charles Thomas i'w cyfarfod ac i'w cynorthwyo i yrru'r gwartheg i ben eu taith yn Wyoming.

Dro arall, prynwyd ugain mil o ddefaid yn Oregon a'u gyrru ar draws gwlad – taith a gymerodd chwe mis i'r deg dyn a thair wagen-gwneud-bwyd. Ar hyd y daith, roedd Indiaid ar y bryniau'n eu gwylio a'r dynion yn marchogaeth yn ôl ac ymlaen gyda'u gynnau'n barod i danio pe ymosodent, ond penderfynu peidio ymosod a wnaeth yr Indiaid. Roedd yno hefyd rwystrau naturiol ar y ffordd – mynyddoedd i'w hosgoi a nifer o afonydd llydain i'w croesi, ac angen gyrru'r defaid i'r dŵr a'u nofio ar draws y dyfroedd.

Yn sicr, nid oedd bywyd yn hawdd i'r brodyr na'u gweithwyr; roedd y gaeafau'n galed iawn yno ac er mwyn cael lloches i'r dynion oedd yn gwarchod y gwartheg a'r defaid, cloddiwyd cysgodfeydd bychain iddynt allan o graig i ffurfio ystafell gan roi gwelâu ac offer coginio ynddynt. Byddai'r brodyr Thomas yn ymweld â'r cysgodfeydd yn wythnosol gan fynd â bwyd i'r dynion. Nid oedd amgylchiadau'r brodyr eu hunain fawr gwell ar y dechrau chwaith gan mai caban o bridd a mwd oedd eu cartref cyntaf, ond wrth i bethau wella codwyd cabanau pren, a daeth bywyd ychydig yn haws i'w fyw.

Yn ôl y sôn, daeth rhai o'r dynion ar draws hen Indiad un tro, ac aethpwyd ag ef yn ôl gyda hwy i'r *ranch*. O fewn dim, roedd One-eyed Jack yn un o'r teulu ac yn byw mewn cwt y tu cefn i'r tŷ. Dysgodd One-eyed Jack blant y brodyr Thomas i hela a thrapio a phan fu farw, claddwyd ef ar dir y *ranch*.

Nid yr Indiaid a'r tywydd yn unig oedd yn eu poeni; roedd rhaid bod yn wyliadwrus rhag rhai o'r ffermwyr eraill hefyd. Cafwyd blynyddoedd o wrthdaro yn yr ardal – cyfnod a adwaenir fel cyfnod y *Range Wars* – cyfnod a ddaeth â gwŷr fel Billy the Kid i'r amlwg. Ffensys a defaid oedd achos rhai o'r trafferthion ac roedd rhai ffermwyr yn torri ffensys y brodyr Thomas er mwyn i'w defaid gael croesi'r tir, a'r rheiny wedyn yn pori'r gwair prin a hyn yn arwain at ymladd rhwng dynion y gwahanol ffermydd. Un tro, clymodd rhai o ddynion y brodyr Thomas wifren bigog i'w ceffylau a'i llusgo drwy ddefaid oedd yn tresbasu ar eu tir, gan fachu yn eu gwlân a'u niweidio yn y gobaith y byddai'r defaid yn cadw draw o'u tir wedi'r fath driniaeth.

Dro arall, roedd y brodyr a rhai o'u dynion yn cloddio ffos. Yn sydyn, taniodd rhywun atynt gyda'r fwled yn taro un o byst ffens gyfagos. Neidiodd pawb i'r llawr rhag ofn y byddai mwy o fwledi'n dod i'w cyfeiriad ond rhedodd Charles Thomas i wagen gyfagos ac estyn am ei Winchester. Ni chafodd mwy o fwledi'u tanio atynt ond gwelodd Charles Thomas lwch yn codi ar un o'r bryniau. Cydiodd yn ei geffyl a charlamodd i'r cyfeiriad hwnnw i chwilio am y rhai a saethodd atynt, ond roeddynt wedi diflannu ac felly dychwelodd adref.

Ond nid dyma ddiwedd y saethu gan nad oeddynt mor ffodus rai dyddiau'n ddiweddarach pan oeddynt allan ar y *range* unwaith eto. Roeddynt yn teithio'n ôl i'r *ranch* ar ôl bod yn gofalu am y gwartheg pan ddaeth ergyd a berodd i un o'r dynion syrthio oddi ar ei geffyl. Tra oedd y dynion eraill yn tynnu eu gynnau allan aeth Charles Thomas ar ei union at y dyn oedd ar y llawr, ond roedd yn farw. Rai dyddiau'n ddiweddarach, daeth un o ddynion y brodyr Thomas i'r fferm â'r newyddion bod rhywun wedi cael hyd i ddau o ddynion y fferm agosaf yn farw yn eu wagen. Roedd eu meistr wedi galw'r *sheriff* a chan fod hwnnw'n gwybod nad oedd pethau'n dda rhwng perchnogion y ddwy fferm, i fferm y brodyr a ddaeth yn gyntaf, ond ni chafodd wybod fawr ddim yn fan'no a hyd heddiw ni ŵyr neb pwy a laddodd y ddau ddyn yn y wagen.

*Gweithwyr Thomas Arthur Radnor yn Kansas.*

## Yr *Herefords* Cyntaf

Gadawodd rhai Cymry eu marc yn barhaol ar amaethyddiaeth y wlad ac yn wir teulu o Lanandras (Presteigne) ym Mhowys oedd y cyntaf i allforio gwartheg Henffordd i'r Unol Daleithiau – y *whitefaces* fel y'u gelwid yno. Aeth Thomas Arthur Radnor â tharw Henffordd o'r enw Radnor 1 ynghyd ag ychydig o wartheg Henffordd gydag ef i Scott City, Kansas, yn yr 1870au. Cyn hynny gwartheg hirgorn oedd mwyafrif y gwartheg y gofalai'r cowbois amdanynt.

Prin fu'r croeso i'r gwartheg Henffordd ar y dechrau, ond ymhen dim o dro daethant i ddisodli'r gwartheg hirgorn sy'n nodweddiadol o ffilmiau cowbois. Gwelir peth o 'hanes' dyfodiad yr *Herefords* yn y ffilm *The Rare Breed* gyda James Stewart, ond nid oes yr un cyfeiriad Cymreig yn y ffilm ar wahân i'r ffaith mai 'Mrs Evans' yw perchennog y tarw penwyn!

## Bugail Texas

Un arall oedd am geisio gwella'i amgylchiadau oedd William Davies o Fferm Cwm, Bedwas, Sir Fynwy, a geisiodd wneud ei ffortiwn yn Texas yn magu defaid yn hytrach na gwartheg. Roedd ei frawd John eisoes yn America, wedi bod yn gweithio fel *lumberjack* ac wedi cynilo digon o arian i brynu gwesty bychan yn Minnesota. Rhyw ddeuddeng mlynedd yn unig fu William yn Texas cyn dychwelyd adre yn 1891 i gadw tafarn a chodi tŷ mawr – Nantgoch – i'w wraig ac yntau gyda'r arian a wnaeth o'r defaid.

Pedair ar hugain oed oedd William Davies pan adawodd ei gartref fis Gorffennaf 1879 a glanio yn Efrog Newydd fis yn ddiweddarach a'i gwneud hi am Wisconsin lle'r oedd ei frawd yn byw ar y pryd. Ond nid oedd gwaith y coedwigwr yn apelio ato, felly gadawodd a theithio ddwy fil a hanner o filltiroedd mewn pythefnos i Fort Worth, Texas. Yno, cafodd waith yn gosod rheilffordd y Texas Pacific, ac yn ôl llythyr adref at ei fam fe lwyddodd i gynilo deugain doler o fewn pedwar mis, ond ychwanegodd fod yn rhaid i ddyn ddyfalbarhau yno gan fod yna gymaint ddwywaith o demtasiynau yno ag oedd yna gartref yng Nghymru! Nid yw'n sôn yn union be yw'r temtasiynau hyn!

Ddeufis yn ddiweddarach roedd wedi teithio ddau gan milltir arall i San Angelo ac wedi cael gwaith fel bugail yno. Roedd bron i dair mil a hanner o ddefaid yno a William yn teithio gyda hwy mewn wagen fechan ac yn cysgu dan y sêr – hyd yn oed yn y gaeaf. Dioddefai'n aml o'r dwymyn a achosid gan y tywydd oer ac yn aml cymerai cwinîn i geisio gael gwared â'r aflwydd. Nid oedd y bwyd ychwaith yn dda iawn – er bod yna ddigonedd o gig eidion ar gael ar adegau. Cwynai yn ei lythyrau at ei fam nad oedd caws i'w gael yn Texas – ac yntau wedi ei fagu ar gaws Caerffili! Un tro, pan oedd bwyd yn brin bu raid i William ferwi llyffantod a sboncynnod gwair i wneud stiw!

Eto nid oedd edrych ar ôl defaid rhywun arall yn apelio dim at William a chydag arian a fenthycodd gan ei fam, prynodd fil o ddefaid yn San Antonio, Texas, ac er mwyn gwarchod ei ddefaid rhag y bleiddiaid – rhai dwygoes yn ogystal â rhai â phedair coes – cariai William bistol a reiffl gydag ef i bobman. Er hynny, nid anghofiodd ei fagwraeth yng Nghymru, ac arferai ei fam yrru copïau o bapur yr Annibynwyr, *Seren Cymru*, ato'n rheolaidd.

Nid pawb oedd o'r un anian ag ef ac mae'n nodi yn un o'i lythyrau bod y mwyafrif yn gweithio'n galed y rhan fwyaf o'r amser – un ai fel cowbois neu fugeiliaid – ond unwaith y byddai'r gwaith ar ben byddent yn mynd i'r

*Llun o William Davies a dynnwyd yn San Angelo 1889.*

dref agosaf i wario'u harian yn y salŵns. Ar ôl gwario
pob sentan o'u heiddo, byddai raid iddynt fynd yn ôl i
weithio er mwyn ennill mwy o arian.

Gwelodd William, hefyd, nifer yn ymladd â gynnau
yno – neu eu clywed o leiaf, meddai ef, gan mai yn y salŵns
– wedi goryfed – y dechreuai'r gynnau danio, a phawb yn
neidio allan drwy'r hanner drysau er mwyn osgoi'r bwledi.
Pan ofynnwyd iddo, wedi iddo ddychwelyd i Gymru, a
oedd dynion yn saethu'i gilydd yno, ei ateb oedd, "Na,
dim ei gilydd, saethu pobol eraill oeddynt. Roedden nhw'n
rhy feddw i saethu'n iawn ac felly'n saethu'r rhai oedd yn
eu gwylio!"

Ond nid yfed yn unig a achosai i rywrai godi gwn a
thanio. Un noson roedd William yn gwarchod ei ddefaid
yn ystod taith o Frio County i Fort Concho ac yn eistedd

o dan goeden o flaen tanllwyth o dân. Yn y pellter – eu siapiau i'w gweld yn erbyn yr haul yn machlud – gwelodd ddynion ar gefn ceffylau'n dod tuag ato, ond wrth iddynt nesáu, collodd olwg arnynt. Yn sydyn, clywodd geffylau'n carlamu tuag ato ac eiliadau'n ddiweddarach dyma fwledi'n gwibio heibio. Neidiodd y tu ôl i'r goeden i'w arbed ei hun, ond erbyn hyn roedd yn rhy dywyll iddo allu saethu'n ôl at y dynion. Roedd yna gryn ddrwg-deimlad rhwng ffermwyr defaid a ffermwyr gwartheg yn yr ardal hon hefyd. Mae'n debyg mai gweithio i berchnogion gwartheg oedd y rhai a saethodd at William, a'u bwriad oedd gwneud yn siŵr nad oedd ci ddefaid ef yn crwydro i'w tiroedd.

O fewn naw mlynedd roedd William yn berchen ar dros dair mil o erwau o dir Texas, ond roedd ganddo hiraeth mawr am yr henwlad.


## Owen Roscomyl – Y Cowboi

Un arall fu'n byw bywyd y cowboi nodweddiadol oedd Owen Roscomyl. Yn 1880, yn un ar bymtheg oed, ffodd Arthur Owen Vaughan neu Owen Roscomyl ar long o Borthmadog am America ac wedi cyrraedd yno, bu'n gweithio fel cowboi yn Colorado, Wyoming, Montana a Callifornia. Ym Montana, bu Roscomyl yn ymladd yn erbyn minteioedd o *outlaws* yn ystod cyfnod y *Range Wars*, ac mewn cyfres o lythyrau adref at y teulu, mae'n sôn llawer am ei brofiadau ar y *range*. Dyma ddarnau o'r llythyrau hynny:

*Y Pedwerydd o Orffennaf, 1880,*
*Middle Kiowa,*
*Colorado*

*Rwyf wedi newid fy nillad arferol i drowsus o groen arth efo'r blew yn dal arno, moccasins, het a chrys. Rydym yn* marchogaeth drwy'r dydd, yna'n cysgu dan y lleuad ar grwyn anifeiliaid ac ambell dro bydd fy ngheffyl Texan wedi teithio gan milltir y dydd am wythnos gyfan ond wedi tri diwrnod o orffwys mae mor ffres ag erioed.

Rwyf wedi rhoi'r gorau i hela ceirw am ychydig gan fod yn rhaid inni gadw'n gynnau'n barod am yr Indiaid. Dwy neu dair blynedd yn ôl roedd Vittoria a'i Apaches yn byw'n heddychlon yn New Mecsico, ond am ryw reswm symudodd y gwynion nhw i San Carlos lle bu nifer farw. Penderfynodd y chief fynd â'r llwyth yn ôl i'w hen gynefin gan addunedu na fyddai'n gadael yr ardal byth eto – ac ers hynny bu'n ymladd â ni'r gwynion. Wedi ymuno ag ef mae llwythi'r Comanches, y Navahos, y Zinnees a'r Utes, ac o'r hyn a ddeallwn ni, maen nhw newydd gael pow-wow ac mae disgwyl iddynt ddechrau ymladd â'r gwynion unrhyw ddiwrnod. Mae'n debyg y bydd raid i mi fynd â gyr o warheg draw am y Republican River ond mae'r Indiaid yn siŵr o geisio dwyn y gwartheg oddi arnon ni ac mi fydd yn rhaid i ni fod yn ofalus neu mi fyddwn yn colli'n scalps.

Y Chweched o Awst, 1880,
y Republican River,
Colorado

Tua hanner nos clywais sŵn fel gwartheg yn rhedeg yn wyllt a phan edrychais o'm cwmpas, doedd dim golwg o'm ceffyl ond roedd yr awyr yn goch ac yn llawn cymylau duon. Roedd y paith ar dân a hwnnw ond milltir i ffwrdd a gwelwn wartheg, ceffylau ac anifeiliaid gwylltion yn dianc rhagddo.

Cefais hyd i'm ceffyl a neidiais ar ei gefn ond erbyn hyn doedd y tân ond chwarter milltir i ffwrdd! Carlamais i gyfeiriad afon fechan, ac erbyn i mi gyrraedd doedd y tân ond tri chan llath i ffwrdd a minnau ar ochr ceunant dyfn. Roedd yn amhosib i'm ceffyl neidio drosto, felly, clymais fy lariat i graig a llithro i lawr i'r ceunant, ond daeth y tân at y graig a llosgi drwy'r rhaff gan fy nhaflu i waelod y ceunant a bûm yn gorwedd yno'n anymwybodol am beth amser ond pan ddois ataf fy hun, roedd y tân wedi mynd heibio.

*Cerddais i geg y ceunant; doedd dim i'w weld ond düwch ym mhobman – roeddwn wedi colli popeth – fy ngheffyl, cyfrwy, reiffl a blanced ac roeddwn hanner can milltir o'r gwersyll gydag ond rifolfer a chyllell. Ond – yn ffodus – o fewn diwrnod daeth mintai draw efo gyr o wartheg a chefais fy nghludo'n ôl i'r gwersyll ganddyn nhw.*

*Ionawr 1881,*
*Cummins,*
*Wyoming*

*Roeddwn efo'r bos ar y paith pan ddechreusom drafod fy nghyflog. Aethom i ffraeo ac mi dynnodd ei bistol a'i danio ataf, ond gwnes i'm ceffyl godi ar ei draed ôl a tharodd y bwled fy ngheffyl yn hytrach na mi. Neidiais oddi arno er mwyn osgoi'r ail a'r drydedd fwled ac yna saethais y bos yn*

*Owen Roscomyl yn ei ddillad cowboi, Wyoming Territory, c.1880–1884*

ei ysgwydd; gollyngodd ei bistol a charlamodd i ffwrdd ar ei
geffyl. Taniais eto gan ei daro yn ei goes gan hefyd daro'i
geffyl, ond medrodd ddianc oddi wrthyf. Roeddwn rŵan ar
fy mhen fy hun – heb geffyl – yn y paith, a phenderfynais
aros yn y fan honno tan y pnawn. Drwy lwc daeth gwŷr yn
gyrru gwartheg ar fy nhraws ac eglurais nad oedd gennyf
geffyl a gofyn a gawn i deithio efo nhw. Nid yn unig y cefais
geffyl sbâr ganddyn nhw ond cefais hefyd fy nghyflogi gan y
perchennog i'w cynorthwyo i yrru'r gwartheg am
wastadeddau Laramie.

Un diwrnod, roeddwn ar fy ffordd yn ôl i'r gwersyll pan
ddaeth gŵr i'm cyfarfod a rifolfer yn ei law. Yn sydyn,
rhoddodd y gwn gyferbyn â'm trwyn gan orchymyn i mi
godi fy nwylo. Roeddwn yn gwisgo clogyn o groen arth ar y
pryd ac wedi gallu cuddio fy mraich dde a chodais fy llaw
chwith i'r awyr gan ddweud mai ond un fraich oedd gennyf.
Credodd fi a mynnodd ddwyn fy ngheffyl ond fel mellten
tynnais fy mhistol allan â'm llaw dde a'i osod rhwng ei
lygaid a gorchmynnais ef i ollwng ei bistol ac i ddod oddi ar
ei geffyl. Gan anelu'r gwn ar y road agent â'm llaw dde,
gafaelais yn ffrwyn ei geffyl â'r un chwith, plannais fy
sbardunau yn fy ngheffyl innau a charlamais i ffwrdd gyda
hanner dwsin o'i fwledi'n chwyrlïo heibio fy mhen a thrwy
hyn cefais geffyl da a chyfrwy am ddim!

Flynyddoedd yn ddiweddarach aeth Owen Roscomyl ati
i gofnodi rhywfaint o'i anturiaethau mewn nifer o
gylchgronau. Dyma un o'i hanesion:

*Y Cenhadwr*

Y gaeaf blaenorol, roeddem wedi bod yn clirio'r byfflos oddi ar
y gwastadeddau er mwyn gwneud lle i'r gwartheg yr oeddem
wedi'u gyrru i fyny o'r de ar hyd yr hen Texas Trail. Nid oedd
clirio'r paith yn waith hawdd o bell ffordd. Rhoddwyd cetris i
ni a chaem ein talu i hela'r byfflo ond nid i'w lladd. Hyd yn
oed pe baem yn lladd cannoedd, ni fyddai hynny yn ddigon i'w
clirio o'r gwastadeddau. Y dull oedd saethu rhai o'r teirw ac
unwaith y byddem wedi clwyfo'r rheiny byddai'r gweddill yn

*eu dilyn. Ein gwersyll ni oedd yr isaf ar yr afon. I'r de roedd gwlad y byfflo a'r Indiaid – gwlad y dihirod a'r half-breeds. Roedd yn y gwersyll bymtheg ohonom, pob un â'i reiffl Winchester a'i Colt six-shooter ac arferem farchogaeth yn barau – byth ar ein pennau ein hunain.*

*Un noson daeth dieithryn atom – ar geffyl salw'r olwg – a chefais fy nghyflwyno iddo fel Prydeiniwr, ond bu iddo adnabod fy acen a gofynnodd, "Cymro wyt ti?" "Cymro o waed coch cyfan," meddwn innau, gan groesi tuag ato i ysgwyd ei law. Trodd Arizona Joe ataf ac o dan ei wynt sibrydodd, "Cenhadwr ydy o." Syrthiodd fy nghalon, yr unig Gymro i mi ei gyfarfod yn y gorllewin – a hwnnw'n genhadwr! Cenhadu ymysg y gwynion oedd Rhys – ni chofaf ei gyfenw – ac nid ymysg yr Indiaid. Roedd rhywrai wedi gweld gŵr yn cael ei grogi'n dilyn ymladdfa yn Blind Man's Creek a theimlai'r awdurdodau mai da o beth fyddai cael cenhadwr yn ein plith ac felly daeth Rhys atom i geisio'n cadw ar y llwybr cul. Ond y bore canlynol bu raid ffarwelio ag ef gan ein bod yn cychwyn ar daith ugain diwrnod.*

*Pan ddychwelsom, deallwyd bod y cenhadwr yn codi caban pren iddo'i hun – a hynny yn llwybr rhai o'r Indiaid rhyfelgar. Euthum draw i'w weld a buom yn sôn am Gymru ac yn hiraethu am adref a chyn gadael gadewais fy Winchester iddo gan hefyd dorri tyllau ym mhedair wal y caban er mwyn iddo allu saethu allan. Rhybuddiais ef i edrych allan drwy'r tyllau y peth cyntaf bob bore cyn mentro allan rhag ofn y byddai rhywrai'n llechu yn y coed o'i gwmpas, a phe byddai rhywun yno, iddo daflu llond llaw o wellt a thân arno i lwyni cyfagos.*

*Bum diwrnod yn ddiweddarach roeddem yn gofalu am y ceffylau pan welsom fwg rai milltiroedd i ffwrdd o gyfeiriad caban y cenhadwr – ac aethom yno ar frys. Wedi cyrraedd, cawsom hyd i ddau Indiad yn gorwedd yn gelain ger y tyllau a dorrais yn y muriau ac yna daothpwyd o hyd i un arall yn farw yn y llwyni a phedwar arall yn llechu mewn coed. Taniais atyn nhw ac mi ddechreuodd hwythau danio'n ôl. Cafwyd brwydr filain am beth amser ond o'r diwedd, saethwyd hwy'n farw ond nid cyn iddynt ladd un ohonom ni ac anafu dau arall.*

*Roedd y cenhadwr yn gorwedd ar lawr y caban ac euthum ato.*
*Sibrydodd yn fy nghlust, "Cymro ydw i, ac fel pob Cymro mi*
*wylltiais yn gacwn pan ddechreuon nhw saethu ata i."*
*Rhoddodd dair ochenaid – ei rai olaf ac aethpwyd ag ef i'r dref*
*agosaf er mwyn iddo gael angladd Cristnogol.*

## Griff Llanbêr a Miss Bird

Un o'r rhai cyntaf i gadw ymwelwyr ar ei fferm oedd Cymro
o Lanberis, Griffith Evans. Prynodd fferm yr Estes Park i'r
gogledd-orllewin o Denver yn 1867 ac er i Griffith fod yn
hoff iawn o'i ddiod fe fu'r fenter yn llwyddiannus ac o fewn
pedair blynedd roedd ganddo naw o westeion yn aros ar ei
fferm. Yn 1873 daeth Miss Isabella Lucy Bird i aros ato;
gwraig oedd yn marchogaeth ei cheffyl fel dyn oedd hon
gyda'i sgert wedi'i gwthio i mewn i'w blwmars! Datblygodd
perthynas rhyngddyn nhw ac yn ôl Miss Bird roedd hi'n
hoffi'r Cymro er bod yna arogl wisgi ar ei farf flewog! Âi
Griff â hi i farchogaeth ar y bryniau cyfagos a byddai Miss
Bird yn "delio â'i *hangovers* ac yn gyrru ei wartheg".

Ond, yn ddiweddarach, syrthiodd Miss Bird mewn cariad
â Gwyddel, 'Mountain Jim' Nugent, un arall oedd yn hoff
o'i wisgi. Gadawodd Miss Bird fferm Estes Park a mynd i
aros am rai misoedd gyda'r Gwyddel cyn dychwelyd yn ôl
am y dwyrain.

Nid oedd pethau'n dda rhwng y Cymro a'r Gwyddel ac
ym Mehefin 1874 roedd y ddau'n gwagio poteli o wisgi gyda'i
gilydd mewn salŵn gyfagos a chyda'r poteli bron yn wag
mi aeth yn ffrae. Y Gwyddel oedd y cyntaf i fynd am ei wn,
ond gan iddo yfed yr holl wisgi câi drafferth i dynnu'i wn o'i
wregys ac er nad oedd Griff fawr sobrach nag ef, ei wn ef a
daniodd gyntaf. Gorweddai Mountain Jim yn farw ar lawr
y salŵn; galwyd ar y *sheriff* a rhoddwyd Griff yn y celloedd
y tu cefn i'w swyddfa nes deuai ei achos i'r llys. Plediodd
Griff yn ddieuog gan ddweud mai ei amddiffyn ei hun yr

oedd ef a gadawodd y llys yn ddyn rhydd. Ailgydiodd yn y gwaith o gadw ymwelwyr ar ei fferm, ond mae'n debyg nad Miss Bird oedd asgwrn y gynnen – roedd Mountain Jim wedi bod yn talu gormod o sylw i Jinnie, merch Griff!

## Jack Farmer – y Syrfëwr

Ond nid cowbois yn unig oedd y rhai a ymsefydlodd yn y Gorllewin Gwyllt. Bu rhai yn fodd i ddofi'r lle, rhai fel Jack Farmer o Faldwyn a adawodd Gymru yn 1886 a mynd i America i weithio ar y rheilffyrdd oedd yn cael eu gosod ar draws y wlad. Un o saith deg o syrfewyr yn ceisio torri llwybr drwy'r Rockies ym Montana oedd Jack – yn arbennig ar draws Bwlch Macdonald oedd dros saith mil o droedfeddi o uchder. Roedd angen gosod deng milltir y dydd o draciau drwy dir garw ac mewn tywydd gwael – tywydd a achosai gryd cymalau i nifer o'r gweithwyr. Gan iddo yntau ddioddef o'r cryd cymalau aeth Jack am egwyl i dre Sulphur Springs. Lle drwg iawn, meddai ef, gyda nifer o ferched yno a geisiai fynd â dyn oddi ar y llwybr cul, ond yn ôl Jack gwrthod y demtasiwn a wnaeth ef. Wedi rhai dyddiau dychwelodd at ei waith, ond cyn gadael Sulphur Springs mentrodd brynu Meddyginiaeth y Wisgi fel y galwai hi, sef casgenaid o Kentucky Bourbon, er mwyn atal y cryd cymalau rhag dychwelyd. Roedd y gasgen mor drwm ar y dechrau fel y câi gryn drafferth i'w chario i'w babell, ond o fewn dim roedd hi'n ddigon ysgafn i'w chario o gwmpas ac aflwydd y cryd cymalau wedi diflannu!

Eithr nid y cryd cymalau a'r merched drwg oedd yr unig beryglon a wynebai dynion fel Jack Farmer. Nid oedd yr Indiaid am i'r ceffyl haearn wthio drwy'u tiroedd a byddent yn ymosod yn aml ar y gweithwyr rheilffyrdd ac oherwydd fod y syrfewyr yn aml yn teithio o flaen gweddill y giang, byddent yn cario gynnau gyda hwy rhag ofn i'r Indiaid ymosod. Ar ben hyn cyflogid dynion arfog i warchod y gwersylloedd a'r dynion oedd yn gosod y cledrau; ymysg y gwarchodwyr hyn roedd rhai fel Buffalo

*Jack Farmer mewn llun a yrrodd adref at ei deulu.*

Bill a Wild Bill Hickock a dreuliai'u hamser hefyd yn saethu byfflo i fwydo gwŷr y rheilffordd.

*Jack Farmer yng ngwersyll criw'r rheilffordd.*

# Y CYMRY A'R INDIAID

Mae'n debyg i'r Indiaid gyrraedd gogledd America tuag ugain mil o flynyddoedd yn ôl gan groesi o Asia i Alaska dros gulfor Bering. Pan ddaeth y dyn gwyn gyntaf i ogledd America credir bod tua miliwn o Indiaid yno wedi'u gwasgaru i ryw drichant o lwythau ac yn siarad tua'r un faint o ieithoedd, ond erbyn yr 1890au nid oedd ond chwarter hynny ar ôl. Ymysg llwythau'r gorllewin oedd yr Apache, Arapaho, Bannock, Blackfoot, Cayuse, Cherokee, Cheyenne, Chinook, Comanche, Crow, Hopi, Kiowa, Mandan (y credir sy'n ddisgynyddion i ddynion Madog), Navaho, Nez Percé, Osage, Paiute, Pawnee, Shoshone, Sioux, Ute a'r Zuni.

Roedd rhai ohonynt yn llwythau crwydrol, eraill yn tyfu cnydau ac roedd eu cartrefi'n amrywio'n fawr o'r *tepee* a gysylltwn ag Indiaid y gwastatiroedd i dai sefydlog Indiaid y de-orllewin. Roedd y gwahanol lwythau'n masnachu â'i gilydd ymhell cyn i'r gwynion gyrraedd a defnyddient gerbydau di-olwyn a gâi eu llusgo gan gŵn (nid oedd yr Indiaid wedi dyfeisio'r olwyn) neu ganŵs i deithio o gwmpas, ond unwaith y cyrhaeddodd y Sbaenwyr bu i'r Indiaid feistroli'r grefft o farchogaeth a dod yn arbenigwyr ar drin ceffylau.

Gêm oedd rhyfela i'r Indiaid ac yn anaml iawn y byddent yn llwyr orchfygu'u gelynion fel y gwnâi'r gwynion ac oherwydd hyn ychydig iawn o frwydro mawr fu rhwng yr Indiaid a'r gwynion pan ddechreuodd y gwynion symud tua'r gorllewin. Dim ond pan ddechreusant golli'u tiroedd hela y bu i'r Indiaid ddechrau rhyfela o ddifrif â'r gwynion. Yn aml ni fyddai'r Indiaid yn ymladd yn ystod y nos gan y credent, pe lleddid hwy, y byddai'u heneidiau'n cael trafferth dod o hyd i'r nefoedd.

Wrth i'r gwynion ymledu ar draws yr Unol Daleithiau, gwthiwyd yr Indiaid o'u cynefin gan achosi gwrthdaro ffyrnig ar brydiau – a'r Cymry yn aml yn y brwydro a chafodd nifer eu lladd ond eraill yn cael dihangfa wyrthiol.

## W R Jones a'r Baco

Yn ystod canol y bedwaredd ganrif ar bymtheg, ymfudodd nifer o Gymry i Minnesota, ac yn eu mysg roedd W R Jones a'i deulu o Aberffraw, Ynys Môn. Wedi cyrraedd yr ardal yn 1858, ymsefydlodd y teulu ym mhentref Judson ac yn ddiweddarach y flwyddyn honno dychwelodd W R gyda wagen yn cael ei thynnu gan dîm o ychen i dref Rochester i nôl gweddill ei eiddo. Roedd hon yn daith dri diwrnod ac ar ddiwedd y diwrnod cyntaf ar ei ffordd yno daeth o hyd i dir pori da ar gyfer yr ychen a phenderfynodd aros yno dros nos.

Roedd W R ar fin rhoi ei flancedi ar y llawr am y noson pan ddaeth saith neu wyth o Indiaid ar geffylau ato. Arhosodd y ceffylau rai llathenni oddi wrtho ac edrychodd yr Indiaid ar W R tra siaradent â'i gilydd. Yna daethant oddi ar eu ceffylau a cherdded tuag ato, pob un yn cario bwa a chyllell ac aeth dau neu dri ohonynt at ei wagen ond nid oedd dim yno. Gwelsant fod W R wedi rhoi ei flancedi a'i eiddo ar y ddaear ac aethant at y pentwr a dechrau chwilio drwyddynt. Nid oedd W R am ymyrryd rhag ofn iddynt droi arno, ac felly safodd yn ôl a gadael llonydd iddynt. Ni chawsant hyd i ddim oedd o werth iddynt a dechreuasant weiddi, *"Money, money!"* ond ysgydwodd W R ei ben – nid oedd ganddo ddim arno.

*Tŷ William R Jones yn Judson.*

Yna gwaeddodd yr Indiaid, "Baco, baco!" Ond roedd Saesneg W R cyn brinned â Saesneg yr Indiaid a'r unig ateb y gallai ei roi oedd, "No baco, no baco!" a chyda gwaedd yn diasbedain drwy'r cwm, neidiodd yr Indiaid yn ôl ar eu ceffylau a chan chwerthin diflannodd y fintai dros y gorwel er mawr ryddhad i'r Cymro.

Ond roedd gwaeth i ddod. Roedd pentref Judson yn ardal Dyffryn Butternut – ardal a adwaenir erbyn heddiw fel Cambria, ac roedd W R Jones yn byw yno pan gafodd nifer eu lladd yng Nghyflafan Dyffryn Butternut y soniir amdano isod. Er na fu i'r Indiaid ymosod ar Judson, daeth nifer fawr o ffoaduriaid i'r pentref – yn Gymry, Almaenwyr a Saeson – a bu W R a'i deulu'n gofalu am rai ohonynt. Yr ymladd hwn oedd yr unig dro i Indiaid ymosod ar drefedigaeth Gymreig.

## Cyflafan Dyffryn Butternut

Yn 1853 bu raid i lwythau'r Sioux arwyddo cytundeb â llywodraeth yr Unol Daleithiau a chyfyngwyd hwy i ddwy diriogaeth frodorol arbennig (*reservation*) ar ben ucha afon Minnesota – rhyw ugain milltir o'r fan lle roedd nifer o'r Cymry wedi ymsefydlu a rhyw bymtheng milltir o Fort Ridgeley oedd yn amddiffyn yr ardal. Unwaith y flwyddyn byddai'r llwythau'n derbyn arian a nwyddau'n gyfnewid am y tiroedd yr oeddynt wedi'u colli, ond fel arfer roedd y taliadau hyn yn hwyr ac yn llawer llai na'r hyn yr oeddynt i fod i dderbyn gan fod nifer o asiantwyr a masnachwyr wedi cymryd eu cyfran hwy o'r arian. Erbyn 1862 roedd yr Indiaid wedi cael digon ar y drefn hon ac roedd mwy a mwy o'r gwynion yn dod i fyw i'r ardal a'r anifeiliaid yr oeddynt yn dibynnu arnynt i gael bwyd yn prinhau. Felly penderfynodd yr Indiaid, dan arweiniad Little Crow, geisio cael gwared â phob un o'r gwynion oedd yn byw i'r gorllewin o afon Mississippi.

Yn gyntaf ymosododd yr Indiaid ar Fort Ridgeley ac oni bai am ddygnwch Cymro ifanc o'r enw Sarjant John Jones byddent wedi gorchfygu'r gaer. Pedwar ugain o filwyr oedd yn Fort Ridgeley ar y pryd gan fod y mwyafrif yn y dwyrain yn ymladd yn y Rhyfel Cartref – ac yn wir roedd nifer o'r gwŷr lleol hefyd wedi ymuno â'r fyddin er mwyn mynd i ymladd yn y dwyrain. Pan ddaeth yr Indiaid at y gaer nid oedd neb ond Sarjant Jones yn credu eu bod am ymosod a mynnodd Jones fod pawb yn aros ar y muriau efo'u gynnau'n barod drwy'r pnawn a'r nos. Ond bore drannoeth pan sylweddolodd yr Indiaid fod y milwyr yn barod amdanynt, penderfynasant ymadael.

Ond nid yn ôl i'w tiriogaeth eu hunain yr aeth yr Indiaid ac aethant ati i ymosod ar dref y Lower Agency gan ddinistrio'r tai i gyd a lladd pob un yno. Wedyn, ymosododd yr Indiaid ar ffermydd yr ardal a llifodd

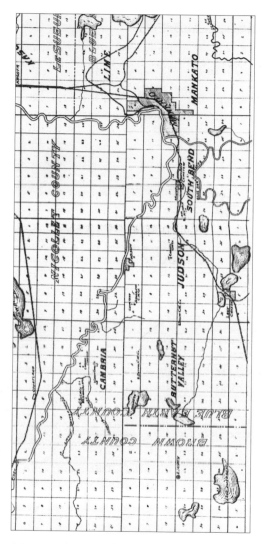

*Map o'r trefedigaethau Cymreig ym Minnesota.*

ffoaduriaid i dref New Ulm nad oedd yn bell iawn o ardal Cambria. Penderfynwyd ffurfio milisia i warchod yr ardal gyda nifer o'r Cymry'n ymuno a theithiodd William J Jones gydag eraill o Judson i New Ulm er mwyn amddiffyn y dref honno rhag yr Indiaid. Rhoddwyd wageni a choed ar draws strydoedd New Ulm er mwyn atal yr Indiaid, ac yn wir am bedwar o'r gloch y pnawn, ymosododd Little Crow a'r Indiaid ar y dref gan losgi nifer o'r tai ar y cyrion.

Daeth y newyddion am ymosodiadau'r Indiaid i dref South Bend ac yno codwyd mintai o tua phedwar ugain o ddynion – dros eu hanner yn Gymry – er mwyn cynorthwyo trigolion New Ulm, ac ar y ffordd yno ymunodd nifer o Judson hefyd â'r fintai. Yn y cyfamser, roedd y Cymry yn ardal Cambria wedi clywed y newyddion drwg ac wedi ymgasglu i nifer o dai oedd yn agos at ei gilydd, ond, penderfynwyd bore drannoeth mai doethach fyddai gadael yr ardal am ddiogelwch trefi South Bend a Mankato.

Erbyn hyn, roedd bron i bum cant o ddynion wedi cyrraedd New Ulm, yr un ohonynt yn filwr proffesiynol, a'u harfau'n amrywio o bladuriau a phicffyrch i *shotguns*; ychydig iawn oedd yn berchen ar reifflau modern. Cafwyd llonydd gan yr Indiaid am dri diwrnod, ond roedd nifer o'r gwynion yn bryderus am eu teuluoedd oedd wedi cael eu gadael yn ddiamddiffyn, a dychwelyd am adref wnaeth bron i bedwar ugain ohonynt.

Ar fore'r pedwerydd diwrnod ymosododd yr Indiaid ar New Ulm gan ymladd o un tŷ i'r llall a gwthio'r gwynion yn eu holau. Roedd Little Crow wedi gosod mintai o'i Indiaid ar ben pob stryd a'r rheiny'n saethu at unrhyw un a geisiai groesi, ond roedd rhaid croesi er mwyn cario gorchmynion a rhannu bwledi. Lladdwyd nifer wrth wneud hyn a phawb yn gyndyn o wneud y gwaith – pawb ond un; cynigiodd Thomas Davies ei hun fel negesydd, a bu'n rhedeg yn ôl ac ymlaen drwy'r dydd gan osgoi bwledi'r Indiaid. Yn y cyfamser, roedd mintai South Bend ar ei ffordd yn ôl i New Ulm, ac yn eu mysg William Jones a David a John Davies. Pan oeddynt o fewn cyrraedd i'r dref, gwelsant fwg yn codi ac felly dyma benderfynu troi'n ôl am South Bend efo'r newyddion bod trigolion New Ulm wedi'u gorchfygu a'r dref wedi'i rhoi ar dân.

Roedd rhai o'r Cymry wedi dychwelyd i Cambria i gael golwg ar eu stoc a hwythau hefyd wedi gweld y mwg yn yr awyr. Cynghorwyd pawb i adael y ffermydd a'i gwneud hi am ddiogelwch cymharol South Bend a Mankato. Yn South Bend, roedd cannoedd o wragedd a phlant wedi heidio i felin Evans a Price tra oedd y dynion yn paratoi i amddiffyn y dref. Unwaith eto, ychydig iawn o ynnau oedd ar gael, ac roeddynt am eu hamddiffyn eu hunain â phicffyrch a phladuriau. Treuliwyd noson bryderus iawn a thanau New Ulm yn goleuo'r nos a'r gwragedd yn bryderus gan fod nifer o'u gwŷr wedi gadael i amddiffyn y dref honno.

Erbyn hyn, roedd y newyddion am yr ymosodiad wedi cyrraedd y Llywodraethwr Ramsey yn St. Paul lle roedd nifer o filwyr wedi ymgasglu'n barod i fynd i'r Rhyfel Cartref. Gorchmynnodd i fintai ohonynt – nifer yn Gymry – fynd i amddiffyn y gwynion rhag yr Indiaid ac aeth dros gant ac ugain draw am New Ulm. Ond erbyn iddynt gyrraedd, roedd yr Indiaid wedi penderfynu nad oeddynt yn debyg o drechu'r amddiffynwyr ac roeddynt wedi ymadael. Roedd naw ar hugain o'r gwynion wedi eu lladd a hanner cant wedi'u hanafu yn y dref yn unig, heb sôn am y rhai ar y cyrion. Gorchmynnwyd pawb i adael New Ulm rhag ofn i'r Indiaid ddychwelyd a chan fod yna gynifer wedi cyrraedd South Bend cafodd rhai eu gyrru'n eu blaenau i Mankato, ac er mwyn eu bwydo yno lladdwyd dau fustach anferth gan John a David Evans a Thomas

Jones a bu Elizabeth Davies hithau'n pobi bara i'r torfeydd.

Yn ystod y cyfnod hwn, cyrhaeddodd gŵr truenus yr olwg New Ulm. Roedd wedi cael ei saethu saith gwaith ac wedi teithio pedwar ugain milltir mewn tri diwrnod ar ddeg trwy diroedd yr Indiaid. Dywedodd ei fod wedi dod i gael cymorth i wragedd a phlant oedd wedi'u gadael ar eu pennau'u hunain ynghanol yr Indiaid. Penderfynwyd gyrru mintai o bedwar ar ddeg oedd yn cynnwys nifer o Gymry fel Lewis Jones, David Davies a William Williams dan ofal Lieutenant Roberts i chwilio am y gwragedd. Cafwyd hyd iddynt am un o'r gloch y bore canlynol, i gyd yn cuddio mewn un tŷ. Rhoddwyd hwy mewn wagen a dychwelodd pawb am New Ulm ar lwybr gwahanol rhag ofn bod yr Indiaid yn disgwyl amdanynt.

Yr un diwrnod, roedd David Davis a'i feibion yn cynaeafu gwair yn ardal Cambria. Roedd un o'r meibion, Eben, wedi mynd i gadw'r ceffylau ond yn sydyn, neidiodd Indiad allan o'r gwair. Rhedodd y Cymry am y coed ond nid cyn i Eben gael ei saethu yn ei arddwrn gan yr Indiaid.

Dychrynodd pawb drwy'r ardal a chasglodd pawb yn nhŷ James Morgan er mwyn trefnu i amddiffyn yr ardal, ond, drwy lwc, cyn nos, daeth mintai o filwyr i'r ardal a gwersylla am rai dyddiau ger Capel Horeb. Er hynny, byddai'r Cymry – bron i ddeg ar hugain ohonynt – yn ymgasglu bob nos yn nhŷ James Morgan rhag yr Indiaid. Un bore, deffrowyd pawb gan y cŵn yn cyfarth ac aeth James Morgan i'r drws a gwelodd ŵr wedi'i wisgo fel dyn gwyn yn y pellter ond, o edrych yn fanwl, gwelodd mewn dim mai Indiad ydoedd. Galwodd ar Lewis Lewis ac aeth hwnnw i'r drws a chodi ei law i'w lygaid rhag yr haul i gael gweld yn well. Yn sydyn, taniwyd gwn a thrawyd Lewis Lewis gan fwled a aeth trwy ei law a tharo'i ben ond er iddo gael ei anafu'n ddrwg, roedd ei law wedi ei

*Lieutenant John Roberts a arweiniodd fintai i chwilio am y merched oedd wedi'u gadael yng nghanol yr Indiaid.*

*Capel Horeb lle bu'r milwyr yn gwersylla a thŷ James Morgan yr ymosododd yr Indiaid arno ar 10 Medi 1862.*

arbed rhag cael ei ladd. Yn y tŷ, neidiodd James Edwards am ei wn ond daeth bwled drwy'r ffenest a'i daro yn ei wddf a syrthiodd yn farw i'r llawr efo'r gwaed yn tasgu i bob cyfeiriad. Cythrodd pawb am eu gynnau a dechrau'u tanio drwy ffenestri'r tŷ a chafwyd brwydr filain efo'r ddwy ochr yn tanio at ei gilydd. Yn ffodus ni chafodd neb arall o'r Cymry ei anafu ond trawyd rhai o'r Indiaid ac ar ôl peth amser fe'u gyrrwyd i ffwrdd.

Wedi hyn, aeth John a Henry Davies am Gapel Horeb i chwilio am y milwyr, ond pan welodd y Cymry oedd ar ôl yn y tŷ yr Indiaid yn dychwelyd penderfynwyd gadael a rhedodd pawb i gyfeiriad afon fechan. Ond filltir neu ddwy wedi gadael y tŷ, gwelsant Indiaid eraill yn dod i'w cyfeiriad a neidiodd pawb i lwyni cyfagos i guddio ac aeth yr Indiaid heibio ond ychydig lathenni oddi wrthynt.

Yn y cyfamser, yng ngorllewin yr ardal, roedd David Davies wedi gofyn i'w fab fynd i edrych a oedd y gwartheg wedi mynd i'r ŷd, ond daeth Indiaid ar ei warthaf. Trodd i redeg ond taniodd yr Indiaid gan ei daro yn ei gefn gyda'r fwled yn mynd drwy'i galon. Gwelodd David Davies ei fab yn cael ei saethu a chasglodd weddill y teulu a dianc i lawr y dyffryn.

Roedd Richard Wigley, William Roberts a John Jones wedi gadael ardal Capel Horeb efo peiriant dyrnu ac o fewn dim wedi dod ar draws David a John Davies ac eraill ar eu ffordd o dŷ James Morgan. Rhybuddiwyd hwy bod yr Indiaid o gwmpas ond yn eu blaenau efo'r dyrnwr yr aeth y dynion oherwydd roedd ganddynt waith yng nghaeau dau o'r enw Mohr a Trask. Newydd iddynt gyrraedd y caeau, gwelsant Indiaid yn carlamu i'w cyfeiriad a cheisiodd Mohr a Trask danio at yr Indiaid ond saethwyd y ddau, un yn ei dalcen a'i llall yn ei law. Nid oedd gan y Cymry arfau felly dyma redeg i gae o gansenni siwgwr ac yno y buont yn cuddio am beth amser a'r Indiaid yn chwilio amdanynt. Deuai'r Indiaid yn nes ac yn nes, ond yn sydyn clywyd sŵn ceffylau'n nesáu. Roedd mintai o filwyr yn dod i'w cyfeiriad a ffodd yr Indiaid ond nid cyn dwyn un o'r ceffylau oddi ar y dyrnwr.

Yn ddiweddarach, daeth Indiaid ar draws Robert Jones a John Shaw yn codi tas ŷd. Pan welsant yr Indiaid yn dod neidiodd y ddau oddi ar y das a dechrau rhedeg ond er i Shaw allu dianc welwyd byth mo Robert Jones yn fyw eto. Roedd mab Robert Jones, Evan, wedi gweld yr Indiaid yn rhedeg ar ôl ei dad ac wedi mynd i ffos i guddio a chymaint oedd ei ofn fel y bu yno am ddeg diwrnod nes i'r milwyr ddod o hyd iddo. Y gwanwyn canlynol, roedd David Davies yn clirio rhan o'i dir pan ddaeth ar draws esgyrn Robert Jones yn gorwedd yn y gwair lle cafodd ei ladd gan yr Indiaid.

Parhaodd yr ymladd rhwng yr Indiaid a'r gwynion am beth amser ond daeth mwy a mwy o filwyr i'r ardal. Fis Medi ffurfiodd dau ar hugain o Gymry Cambria fintai ac aethant ati i adeiladu caer yn yr ardal. Ychydig ddyddiau'n ddiweddarach bu brwydr fawr rhwng Little Crow ac wyth gant o'i ddilynwyr a Cyrnol Sibley a mil a hanner o filwyr. Lladdwyd deg ar hugain o'r Indiaid o'i gymaharu â cholli ond pedwar milwr ac o fewn dim roedd dwy fil o'r Sioux wedi ildio a'r gweddill wedi ffoi i Dakota lle buont yn ymosod yn ysbeidiol ar y gwynion.

Yn ystod y deufis o frwydro lladdwyd mil o'r ymsefydlwyr ac anafwyd nifer mwy. Dedfrydwyd tri chant o'r Indiaid i farwolaeth, ond wedi ymyrraeth yr Arlywydd Lincoln dim ond 36 a gafodd eu crogi a charcharwyd y gweddill.

## Y Mwynwyr a'r Indiaid

Yn 1851 teithiodd Edward R Williams gyda nifer o ddynion eraill mewn stemar o San Francisco am ogledd Califfornia gan ei fod wedi clywed bod aur wedi'i ddarganfod yn yr ardal. Wedi glanio bu raid iddynt gerdded trwy goedwigoedd yn llawn o Indiaid. Ar y cyfan

*Crogi 36 o lwyth y Sioux ym Mankato, 26 Rhagfyr 1862. Carcharwyd 300 o Indiaid yn yr adeiladau yng nghefn y llun yn ystod gaeaf 1862–3*

roedd yr Indiaid hyn yn gyfeillgar ac yn fodlon cyfnewid nwyddau gyda'r mwynwyr ond, a hwythau'n cerdded ar lwybr cul drwy'r coed tal, daeth Indiaid ar eu traws a'u hamgylchynu. Nid oedd unlle i ddianc ond yn lwcus roedd y mwynwyr wedi cael cyfle i fynd am eu gynnau ac roedd pob un yn eu hanelu tuag at yr Indiaid. Yn sydyn, gan roi sgrech, diflannodd yr Indiaid yn ôl i'r coed, ond roedd dau o'r criw yn arwain mulod ychydig y tu ôl i'r gweddill – ac nid oedd ganddynt obaith yn erbyn yr Indiaid. Daeth nifer o ergydion o'r coed ac o fewn dim roedd y ddau'n gorwedd yn farw yn y goedwig a'r mulod yn rhedeg am eu heinioes i lawr y llwybr tuag at weddill y dynion. Er i'r mwynwyr glywed y saethu, penderfynwyd mai gwell fyddai mynd yn eu blaenau a cherddodd pawb mor gyflym â phosib er mwyn gadael y goedwig.

Yn ddiweddarach y diwrnod hwnnw, bu raid iddynt aros i gysgodi gan ei bod yn bwrw eira'n drwm. Roeddynt wedi cael lle ger craig enfawr ac wedi codi rhyw fath o bebyll i'w cadw rhag y gwynt oer. Ceisiodd y mwynwyr gael rhywfaint o gwsg ac roedd dau wedi'u dewis i fod ar wyliadwraeth. Yn sydyn, gwelodd un ohonynt Indiaid yn dod i'w cyfeiriad drwy'r eira a deffrôdd weddill y criw. Tynnodd y mwynwyr eu gynnau allan a saethu at yr Indiaid a'r rheiny'n neidio y tu ôl i'r coed rhag y bwledi. Taniodd yr Indiaid yn ôl at y mwynwyr ac wedi brwydr filain a barodd am ryw chwarter awr gyrrwyd yr Indiaid yn ôl i'r goedwig gan lusgo'r rhai oedd wedi'u hanafu gyda hwy. Wedi i'r eira beidio, clymodd y mwynwyr eu heiddo ar y mulod ac ailddechreuwyd ar y daith gan symud mor gyflym â phosib rhag i'r Indiaid ddychwelyd ac, o'r diwedd, wedi gadael y goedwig rai dyddiau'n ddiweddarach, cyrhaeddodd Edward ben ei daith yn ddiogel.

Un arall a ddaeth ar draws Indiaid wrth chwilio am aur oedd Richard D Owens. Mewn llythyr adref at ei ewythr yn Chwefror 1875, o Custer City, Dakota, mae Richard yn sôn am ei daith i'r Black Hills i chwilio am aur:

*Rwyf wedi bod yn teithio am un diwrnod ar bymtheg. Gadewais Colorado gan gymryd trên i Cheyenne yn Wyoming Territory ac oddi yno aeth dwy wagen lawn – deg o ddynion a nwyddau – tuag at Custer City. Ymunodd wageni eraill â ni ac erbyn cyrraedd Fort Laramie roedd yno naw wagen gyda thri deg tri o ddynion ynghyd â'u gwragedd a phlant.*

*Roedd pob un ohonon ni'n cario gynnau rhag ymosodiadau'r Indiaid, ond er inni eu gweld yn y pellter ni chawson drafferth ganddyn nhw. Lladron gwynion oedd y gwaethaf. Un noson pan oedden ni i gyd yn cysgu daeth rhywrai draw a dwyn dau geffyl. Cawsom ein deffro gan sŵn y ceffylau ac mi welson ni mai rhai gwynion oedd y lladron. Wedi hynny bu saith o ddynion arfog yn gwarchod y gwersyll bob nos ond wedi siarad â hwn a'r llall, y gred ydy na wnaiff yr Indiaid ymosod nes y bydd y tywydd wedi cynhesu.*

*Pan gyrhaeddais Custer City, roedd pawb yn sôn am yr aur yn y Big-horn ond bod yr Indiaid yn beryglus yno. Y newyddion diweddaraf ydy bod dau wedi cael eu lladd ganddyn nhw a'u bod yn dwyn ceffylau'r mwynwyr. Maen nhw hefyd yn dweud bod milwyr wedi cyrraedd yr ardal ac yn atal y mwynwyr rhag mynd i diroedd yr Indiaid.*

Mewn llythyr arall, y tro hwn gan **Thomas Davies** o Custer County, Colorado, mae sôn bod y llywodraeth wedi gyrru'r Indiaid o'u tiroedd a bod croeso i'r Cymry ddod draw i chwilio am aur:

*Mae deddf wedi'i phasio'n mynnu bod yr Utes yn gadael y reservation; dyma'r lle gorau yn y dalaith, mae'n llawn o fwynau! Am le i gael trefedigaeth Gymreig, hogia! Dowch yma pan fydd yr Indiaid wedi gadael! Mae yma ddwy fil o filltiroedd sgwâr o dir ac mi rydyn ni'r Cymry yn Colorado wedi dewis dau ddyn i fynd draw i gael hyd i'r tir gorau.*

*Aeth John M Jones o Ffestiniog yno'r gwanwyn diwethaf a phan ddaeth yn ôl mi ddywedodd bod y lle'n ardderchog i fwynwyr a ffermwyr. Bu'n bwyta gyda'r Utes, meddai, a does dim yn atgas ynddyn nhw. Peidiwch â bod ofn yr Indiaid, hogia, mae'r llywodraeth wedi paratoi lle iddynt yn Utah a New Mexico.*

## Daniel Williams a'r *Wagon Train*

Eisoes cawsom hanes Daniel Williams o Benmaen, Sir Fynwy, yn chwilio am aur yng nghloddfeydd Montana, fis Gorffennaf 1863. Ar y ffordd yno, roedd wedi galw yn Rock Island, Illinois, ac oddi yno wedi teithio drwy Kearney, Fort Laramie a Sweetwater gydag ugain gŵr arall ac un wraig mewn naw wagen yn cael eu tynnu gan geffylau a mulod, ond ar y ffordd bu ond y dim iddynt gael eu lladd gan Indiaid a bu raid iddynt gael eu hachub gan y fyddin.

Un noson roeddynt wedi aros ar lannau'r Antelope Creek ger Afon Werdd lle roedd digon o bysgod ac anifeiliaid yn fwyd iddynt. Nid oeddynt wedi gweld golwg o Indiaid ar hyd y daith ac felly, gan eu bod yn awyddus i fynd i ddal rhywbeth i swper, nid aethant i'r drafferth o roi'r wageni mewn cylch. Ond tuag un ar ddeg o'r gloch y noson honno, dyma glywed Indiaid yn gweiddi yn y pellter ynghyd â nifer o ergydion a gofynnodd arweinydd y fintai i Daniel Williams ac un arall fynd i weld beth oedd yn digwydd. Gan fod John Perkins nid yn unig yn ŵr dewr ond hefyd yn berchen ar wn mwy na'r cyffredin, ef gafodd ei ddewis i fynd gyda Williams. Llithrodd y ddau'n llechwraidd i ben bryn ac yno gwelsant fintai ryfel o tua deugain o Indiaid.

Rhuthrodd y ddau'n ôl at y wageni i'w rhybuddio, ond erbyn iddynt gyrraedd roedd pawb wedi rhoi'r wageni'n gylch gyda'r anifeiliaid yn y canol. Bu pob un ohonynt yn effro drwy'r nos â'i wn yn ei law yn barod am yr Indiaid, ond ni chlywyd mwy ganddynt y noson honno er iddynt eu gweld ar y bryniau o'u cwmpas fore drannoeth. Gwyddent eu bod mewn sefyllfa enbyd gan fod ceunant dwfn bedair milltir i ffwrdd ac roedd rhaid iddynt deithio drwyddo. Yno gallai'r Indiaid yn hawdd ymosod arnynt ond nid oedd modd iddynt droi'n ôl gan nad oedd ganddynt ddigon o ddŵr i deithio ar draws y paith. Roedd rhaid mynd ymlaen, ac felly'n gynnar y bore hwnnw cychwynnodd y naw wagen – pawb â'i wn yn ei law'n barod i'w danio a'u llygaid yn craffu tuag at y bryniau. Roedd rhai o'r farn bod eu diwedd yn nesáu felly dechreusant ysgrifennu nodiadau a'u gadael ar y llwyni ar hyd ochr y ffordd gan obeithio y deuai rhywun o hyd iddynt a chael gwybod beth fu tynged y criw.

Yn sydyn, gwaeddodd un o'r dynion ei fod wedi gweld milwr – yna rhagor ohonynt, ac o fewn dim roedd Cadfridog Connor a'i lu o filwyr troed a chafalri o Fort Bridges wedi ymuno â hwy. Dywedodd y Cadfridog eu bod yn ffodus iawn ei fod wedi dod ar eu traws gan fod yna tua mil o Indiaid o lwyth y Snake o'u cwmpas. Mae'n debyg nad oedd yr Indiaid wedi ymosod ar y wageni yn ystod y nos gan eu bod yn brin o fwledi ac am gadw beth oedd ganddynt ar gyfer y milwyr. Cafodd y naw wagen gwmni'r milwyr am weddill y daith allan o diriogaeth y Snake.

## Robert Big Eyes a wyres Chief Blue Horse

Un o Ddolgellau'n wreiddiol oedd Robert Owen Pugh, a briododd wyres pennaeth o'r enw Blue Horse o lwyth yr Oglala, rhan o genedl y Sioux. Hwyliodd Robert Pugh o Lerpwl i Efrog Newydd yn 1863 yn un ar bymtheg mlwydd oed ac yna teithiodd i'r gorllewin lle bu'n gweithio am beth amser ar *ranch* yn Wyoming. Un tro roedd wedi ei adael ar ei ben ei hun mewn caban pren pan ddaeth mintai o lwyth y Shoshone ar ei draws ac amgylchynu'r caban a thanio ato â gynnau a saethau. Roedd Robert yn gwybod na allai barhau'n hir yn erbyn yr Indiaid ond cafodd syniad. Roedd y dynion eraill wedi gadael eu gynnau yn y caban ac er mwyn rhoi'r argraff i'r Indiaid bod yna fwy nag un yno gwthiodd y gynnau allan o bob ffenest a dechreuodd wneud lleisiau gwahanol a'r rheiny'n gweiddi ar ei gilydd! Rhedai o un ffenest i'r llall yn tanio'r gynnau ac yn gweiddi a chredai'r Indiaid fod yna nifer gydag ef yn y caban ac wedi rhyw ugain munud o ymosod gadawodd yr Indiaid. Neidiodd Robert Pugh ar ei geffyl a charlamu i ddiogelwch y *ranch*.

Teithiodd Robert Pugh ymlaen am y gorllewin gan lanio yn y pen draw ym Mryniau Duon Dakota. Wedi cyrraedd, bu'n gyrru wageni a choets fawr rhwng Cheyenne a Deadwood, ond yn ddiweddarach, symudodd i diriogaeth frodorol llwyth yr Oglala i gadw siop ac i weithredu fel clerc i'r asiant Indiaidd lleol. Yn ddiwedd-arach, priododd Jenny Blue Horse (Robinson), wyres i'r pennaeth Blue Horse, yn Pine Ridge, Dakota, yn 1888. Rhoddwyd y cyfenw Robinson iddi oherwydd fe'i ganed yn Fort Robinson, Dakota. Roedd taid Jenny, y pennaeth Blue Horse, wedi cymryd rhan ym mrwydr y Big-horn lle lladdwyd Custer a'i luoedd. Daeth Robert Pugh i adnabod nifer o Indiaid amlwg y cyfnod, rhai fel Crazy Horse, Spotted Tail a Man Afraid of His Horse, ac enw'r Indiaid ar Robert Pugh oedd *Istachtonka* neu Lygaid Mawr (*Big Eyes*).

Cafodd Robert a Jenny ddau o blant ac roedd y teulu yn yr ardal pan fu cyflafan Wounded Knee, pan gafodd cannoedd o Indiaid eu lladd. Oherwydd y gwrthdaro rhwng yr Indiaid a'r fyddin symudodd Robert ei deulu o Pine Ridge i ardal fwy diogel. Roedd Sitting Bull wedi dychwelyd i'r ardal o Ganada lle bu'n llochesu wedi

*Robert Owen Pugh*

*Jennie Blue Horse*

*Plant Robert a Jennie*

brwydr Little Big-horn ond fe'i saethwyd yn farw ar y pymthegfed o Ragfyr 1890 gan ddau Indiad oedd yn gweithio i'r gwynion ac oedd wedi ceisio'i arestio. Penderfynodd nifer o'r Sioux adael y *reservation* a theithio tuag afon Cheyenne ond cododd hyn fraw ar y fyddin a gorchmynnwyd 3,000 o filwyr i fynd i'r ardal. Erbyn y nawfed ar hugain o Ragfyr roedd 500 o filwyr wedi amgylchynu tua 350 o Indiaid oedd yn gwersylla yn Wounded Knee Creek. Taniwyd y gynnau mawr i'r gwersyll ac wedyn dechreuodd y milwyr danio'u reifflau a'u pistols at yr Indiaid. Lladdwyd nifer o'r Indiaid yn y fan a'r lle ond llwyddodd rhai i ddianc a'r milwyr yn dynn ar eu sodlau. Daliodd y milwyr hwy a chawsant un ai eu saethu neu eu curo i farwolaeth.

Wedi i bethau dawelu dychwelodd Robert a Jenny a'r plant i'r ardal, ond wedi rhai blynyddoedd gwerthodd ei siop ar y *reservation* ac aeth i gadw swyddfa bost yr ardal. Daeth yn ddyn uchel ei barch ymysg yr Indiaid, ac yn 1895 roedd Robert Pugh yng nghyfarfod y *First Council* lle bu'n cynorthwyo'r Indiaid mewn trafodaethau â'r llywodraeth i werthu eu tiroedd yn y Bryniau Duon. Ceir nifer o gyfeiriadau at Robert O Pugh yn llyfrau hanes y cyfnod ac enwyd stryd ar ei ôl yn nhref Martin.

Ar y pryd, roedd yr Indiaid yn anhapus iawn ynglŷn â'r ffordd yr oeddynt yn cael eu trin gan y llywodraeth a'r asiantiaid ac roedd rhai ohonynt – yn arbennig y Pennaeth Red Cloud – yn gwrthod gadael i'w plant fynd i ysgolion y gwynion. Y peth gwaethaf oedd y ffaith nad oedd yr Indiaid yn cael yr hyn oedd yn ddyledus iddynt. Fel rhan o'r cytundeb a arwyddwyd yn 1876 roedd yr Indiaid i ildio'u tiroedd i'r gwynion ac i aros ar diriogaethau brodorol arbennig ac am gytuno i hyn roeddynt i dderbyn nwyddau – bwyd, dillad, offer ffermio ac ati, ond roedd yr asiant Indiaidd lleol wedi penodi nifer o ddynion

*Robert Owen Pugh efo'i wn yn ei Swyddfa Bost.*
*1900au cynnar.*

*Bob Pugh (un o ddisgynyddion R O Pugh)*
*ger arwydd Pugh Street, tref Martin.*

amheus iawn i'w gynorthwyo ac roeddynt yn dwyn y nwyddau cyn i'r Indiaid eu derbyn. Aeth Red Cloud a rhai o'r penaethiaid eraill i weld yr Arlywydd yn Washington i adrodd eu cwyn a'r canlyniad fu sefydlu Pwyllgor Holman yn 1884 i edrych ar gwynion y Sioux ac un o'r rhai a gafodd eu holi ganddynt oedd R O Pugh.

Yn 1906 bu'r Barnwr E S Risker, a fu'n gweithio i Swyddfa Materion yr Indiaid yn Washington am ddeng mlynedd, yn holi Robert Owen Pugh am y cyfnod hwn ac mae'n darlunio bywyd anodd yr Indiaid – yn aml yn brin o fwyd oherwydd fod yr asiantiaid yn dwyn y rhan fwyaf. Mae Pugh, hefyd, yn darlunio'r Indiaid fel pobl urddasol. Dyma ran o'i dystiolaeth i'r Barnwr:

*Deuthum i'w plith 36 mlynedd yn ôl, gydag argraffiadau arferol y dyn gwyn eu bod yn debycach i fwystfilod na dynion; ond rwyf wedi newid fy meddwl erbyn hyn, ac o'r farn y dylent gael eu trin fel dynion. Nid yw'r llywodraeth wedi bod yn deg â hwy; mae eu polisïau tuag atynt wedi bod yn rhai anghywir; fe'u gyrrir o le i le yn groes i unrhyw gyfiawnder ac fe'u hystyrir fel plant drwg.*

Ond nid oedd y teulu yng Nghymru o'r un farn ag R O Pugh ac nid oeddynt yn hapus ei fod wedi priodi Indiad a phan glywodd ei chwaer Mary, oedd yn byw yn Lerpwl ar y pryd, aeth yr holl ffordd i dde Dakota i geisio perswadio'i brawd i ddod adref! Cyn hynny, roedd wedi ysgrifennu at Robert gan ddisgrifio'r Indiaid fel anwariaid ond gwelodd Jenny Blue Horse y llythyr a dywedodd wrth weddill y llwyth beth oedd chwaer Big Eyes wedi'i ddweud amdanynt, felly pan gyrhaeddodd Mary dde Dakota ni chafodd hi groeso. Gorfodwyd hi i aros mewn hen gaban ar gyrion y pentref a bu yno am fis, gyda'i brawd yn gorfod mynd yn llechwraidd i'w gweld wedi iddi dywyllu! Ond methu'i berswadio i ddychwelyd adref wnaeth Mary a bu farw Robert Owen Pugh yn ne Dakota yn 1922 a'i gladdu yn Hot Springs.

Dau ddigwyddiad arweiniodd yn bennaf tuag at annog nifer o wynion i deithio tua'r gorllewin: America'n fuddugol yn y rhyfel yn erbyn Mecsico yn 1849 gan ennill llawer o dir yn y de-orllewin, a darganfod aur yn Sutter's Creek, Califfornia, yn 1849. Heidiodd miloedd ar draws y gwastatiroedd a chan fod hyn wedi arwain at ymladd â'r Indiaid, gyrrwyd y fyddin i amddiffyn y gwynion. Gwŷr traed â gwŷr y gynnau mawrion oedd y Fyddin yn wreiddiol ond buan y sylweddolodd yr awdurdodau yn Washington y byddai angen gwŷr meirch hefyd, sef y Cafalri. Roedd y cafalri yn llawer drutach gan fod angen nid yn unig brynu ceffylau ond eu bwydo hefyd – roedd angen grawn ar y ceffylau hyn yn wahanol i ferlod yr Indiaid oedd yn byw ar wellt y *prairie*.

Aeth nifer o flynyddoedd heibio cyn i'r fyddin allu gyrru gwŷr meirch i'r ardal ond yn ffodus ychydig o drafferthion a gafwyd â'r Indiaid ar y dechrau. Ond yn 1855 ymosododd rhai o'r Sioux ar goets fawr ac yna saethu perchennog fferi ar afon Platte a gyrrwyd mintai fechan o'r *2nd Dragoons* i'w harestio ond fe'u lladdwyd i gyd. Gyrrwyd mintai arall – un llawer cryfach y tro hwn a chyda cheffylau – ac ar yr ail o Fedi 1855 ymosodwyd ar y Sioux gan ladd 85 ohonynt; pedwar o filwyr a gafodd eu lladd. Gwelwyd gwerth gwŷr meirch yn y frwydr hon ac o hynny ymlaen catrawdau cafalri oedd y mwyafrif yn y gorllewin.

Wedi hyn bu ymladd cyson rhwng yr Indiaid a'r Fyddin, a hynny'n aml oherwydd fod y gwynion yn torri cytundebau a wnaed â'r Indiaid. Lladdwyd nifer o'r Indiaid a gyrrwyd y gweddill i fyw i diriogaethau brodorol arbennig, yn aml filoedd o filltiroedd i ffwrdd o'u cynefinoedd. Ond ar y pymthegfed o Ionawr 1891 bu i fintai o'r Sioux ildio i'r fyddin yng ngogledd Dakota a daeth cyfnod y rhyfela â'r Indiaid i ben. Chwe diwrnod yn ddiweddarach, ymgasglodd y *6th*, *7th* a'r *9th Cavalry* a'r *1st Infantry* yn y Pine Ridge Agency am y tro olaf cyn iddynt ymwahanu. Roedd cyfnod Rhyfeloedd Indiaid y Gwastatiroedd wedi dod i ben.

## John Davis a'r Porc Drwg

Ymunodd llawer o Gymry â'r fyddin gyda llawer ohonynt yn ymladd yn erbyn yr Indiaid. Un o'r rhain oedd John Davis a adawodd dde Cymru yn 1875 yn saith oed. Ymsefydlodd y teulu yn Ohio lle bu'r tad yn gweithio fel glöwr, ond yn 1887 ymunodd John Davis â'r fyddin. Roedd yn aelod o gatrawd gynnau mawr a chafodd ei yrru i'r gorllewin i warchod y gwynion rhag yr Indiaid. Ar droed y byddai John Davis yn teithio o fan i fan, o gaer i gaer, gan ddilyn y gynnau mawr a gâi eu tynnu gan geffylau. Bu mewn nifer o ysgarmesau a lladdwyd llawer o'i gyd-filwyr a'u hanatu, ond daeth John Davis trwy'r helyntion yn ddianaf a derbyniodd fedal am ei gyfnod yn ymladd yn erbyn yr Indiaid.

Er hynny, daeth ei yrfa yn y fyddin i ben yn sgil ei ddiswyddo am wrthod gorchmynion y swyddogion ac am gymell rhai o'i gyd-filwyr i wneud yr un modd. Gwrthod bwyta porc a wnaeth John Davis – a hynny am nad oedd y cig wedi'i goginio'n iawn a bu iddo annog y milwyr eraill i wrthod ei fwyta hefyd. Llusgwyd ef o flaen llys milwrol ond er i'r llys ei gael yn ddieuog, cafodd ei ddiarddel o'r fyddin yn 1898. Ond, bedair blynedd yn ddiweddarach, newidiodd ei enw i Harry C Orfant (nid oes yr un o'r teulu'n gwybod o ble daeth yr enw hwn!) ac ailymunodd â'r fyddin gan wasanaethu yn Ciwba.

## Gregory Mahoney a'r *4th Cavalry*

Un arall a ymunodd â byddin America oedd Gregory Mahoney o West Street, Pont-y-pŵl, a hynny gyda'r *4th Cavalry*. Bu yntau hefyd yn teithio drwy orllewin y wlad yn ymladd yr Indiaid. Un tro galwyd ei gatrawd allan i chwilio am fintai o lwyth y Comanche oedd wedi bod yn ymosod ar wageni oedd yn teithio ar draws y paith, ond cafodd yr Indiaid hyd i'w gatrawd ef yn gyntaf ac nid oedd unlle i guddio ar y paith gwastad gyda'r Indiaid yn hyrddio'u hunain atynt o bob cyfeiriad. Nid oedd dewis ond aros ac ymladd ond penderfynodd y capten y byddai'n ymosod ar yr Indiaid oedd yn carlamu o gyfeiriad y dwyrain gan obeithio y gallent dorri trwodd a dychwelyd i'r gaer oedd rai degau o filltiroedd i ffwrdd. Felly dyma'r milwyr, pob un â chleddyf yn ei law, yn carlamu i ganol y Comanchees. Trawyd pob un o'r milwyr i'r llawr, rhai'n farw, rhai wedi'u hanafu ac eraill fel Gregory oedd wedi gallu osgoi cyllyll, bwyeill a bwledi'r Indiaid. Gan ei fod wedi colli'i gleddyf, tynnodd Gregory ei rifolfyr o'i wregys a thanio at yr Indiaid oedd yn dod ato o bob cyfeiriad ac wedi i'r bwledi ddod i ben bu'n ymladd law yn llaw â'r Comanchees.

Ychydig iawn o'r milwyr a allai ymladd oedd ar ôl a'r Indiaid yn dal i ymosod ond, yn sydyn, yn y pellter, clywodd Gregory a'i gyd-filwyr sŵn corn yn canu. Roedd catrawd arall o'r *4th Cavalry* wedi clywed y saethu ac yn carlamu i'w hachub. Neidiodd y Comanchees ar eu ceffylau a dianc dros y gorwel. Wedi claddu'u meirwon dychwelodd gweddill y milwyr yn ôl i ddiogelwch y gaer. Yn ddiweddarach, yn 1875, am ei ddewrder yn ymladd yr Indiaid derbyniodd Gregory Fedal Anrhydedd y Gyngres.

## Wild Bill Williams

Un a fu'n gweithio i'r fyddin – nid fel milwr ond fel sgowt – oedd Wild Bill Williams a anwyd yn Tennessee ond ei deulu'n hanu o Sir Ddinbych. Fe'i magwyd ymysg yr Indiaid, gan ddysgu eu harferion a siarad eu hiaith a defnyddio bwa a saeth ac, yn ddiweddarach, gwn. Pan oedd yn ŵr ifanc, roedd Bill yn ddyn urddasol – dros chwe throedfedd o daldra gyda gwallt coch a brychni ar ei wyneb. Fel ci dad, ei frawd Lewis ynghyd â dau ewythr, aeth Bill yn bregethwr gyda'r Bedyddwyr gan deithio o fan i fan. Bu am rai blynyddoedd yn genhadwr gyda'r Indiaid yn Missouri, ond ni chafodd fawr o hwyl arni ac mi drodd at y ddiod.

Ac yntau'n chwech ar hugain oed, priododd ag Indiad o lwyth yr Osage a bu'n treulio llawer o'i amser yn y mynyddoedd fel tywysydd a heliwr er bod ganddo erbyn hyn ddwy ferch fach. Gan ei fod yn siarad nifer o ieithoedd yr Indiaid ac yn saethwr o fri cafodd waith fel sgowt gyda'r Fyddin ar fwy nag un achlysur. Treuliodd hefyd nifer o flynyddoedd yn teithio'n ôl ac ymlaen o Missouri i fynyddoedd y Rockies. Roedd yn arbenigwr ar fywyd y mynyddoedd, a châi ei gydnabod fel un o 'frenhinoedd y mynyddoedd' a chan ei fod yn treulio'r rhan fwyaf o'i amser ar ei ben ei hun, rhoddwyd y llysenw *Old Solitaire* arno.

Pan gyrhaeddodd ei ddeunaw ar hugain oed, symudodd i Sante Fé, Mecsico Newydd, ac yno treuliodd ei amser yn yfed a gamblo yn y salŵns. Unwaith, enillodd swm sylweddol o arian a phenderfynodd agor siop fechan yn Taos, ond nid oodd yn fawr o siopwr ac o fewn dim o dro penderfynodd rannu ei nwyddau rhwng yr Indiaid a'r Mecsicaniaid!

Yn haf 1832 roedd Williams ymysg mintai o helwyr dan arweiniad Capten Bonneville a deithiodd i fynyddoedd Uintah ar y ffin â Colorado, Wyoming ac Utah. Er mwyn helpu'r criw â gwahanol orchwylion, cafodd Williams hyd i ddwsin o ferched o'r llwyth Bannack, ond ni fu hyn yn llwyddiant o bell ffordd gan i wyth o'r helwyr gael eu trywanu i farwolaeth wrth ymladd ymysg ei gilydd am y merched! Er i Williams gael ei fagu ymysg yr Indiaid, nid oedd ganddo fawr o barch atynt. Yn 1833, roedd y fintai wedi cyrraedd Califfornia ac yno buont yn dwyn merched a chrwyn llwyth y Shoshone; yn gynharach roeddynt wedi lladd tua dau ddwsin o wŷr y Paiute wrth geisio dwyn eu merched. Ond nid dwyn oddi ar yr Indiaid yn unig a wnâi Williams; yn ddiweddarach bu iddo ymuno â Joe Meek a Peg Leg Smith i ddwyn ceffylau oddi ar ffermwyr Sbaenaidd yr ardal ac ambell dro byddent yn dwyn cynifer â thair mil o geffylau ac yn eu gyrru tua'r dwyrain i'w gwerthu yn Bent's Fort neu hyd yn oed i'r Apaches!

Tua 1842 aeth Williams yng nghwmni'r heliwr enwog Kit Carson yn ôl am y dwyrain, a chafodd gyfle i weld ei ddwy ferch am y tro cyntaf ers nifer o flynyddoedd. Er hynny, dychwelyd at yr hyn yr oedd yn hoffi'i wneud a wnaeth Williams, sef tracio, hela a thywys yn y mynyddoedd. Bu'n arwain nifer o deithiau; un ohonynt gyda'r Cadfridog John C Fremont dros y mynyddoedd i Galiffornia. Ar ddiwedd y daith honno, penderfynodd Bill fynd yn ôl i chwilio am offer yr oedd wedi ei adael ar y daith a theithiodd â chriw bychan trwy diroedd yr Utes. Un bore, ddiwedd Mawrth 1850, cododd Williams yn gynnar a chychwyn ar sgowt cyn i'r gweddill godi, ond ni ddaeth yn ôl ac aeth gweddill y criw i chwilio amdano. Fore drannoeth cawsant hyd iddo, yn gorwedd ar y llawr a saethau'r Utes yn ei gefn. Er i Williams ladd dwsinau o Indiaid yn ei ddydd, roedd yn gyfeillgar â'r Utes a chredir iddo gael ei ladd mewn camgymeriad. Pan ddarganfu'r llwyth mai Bill Williams yr oeddynt wedi'i ladd fe gafodd wasanaeth angladdol ganddynt fel petasai'n un o'u penaethiaid, ac mae Wild Bill Williams yn dal i gael ei gofio hyd heddiw yn Arizona gan fod yno dref o'r enw Williams, yn ogystal â Bill Williams Mountain a Bill Williams River.

## Sol Rees – y Sgowt

Un arall nad oedd ganddo fawr i'w ddweud wrth yr Indiaid oedd Solomon Rees a anwyd yn Indiana er bod teulu ci dad yn dod o dde Cymru a'i fam o Ynys Môn. Wedi gwasanaethu yn y Rhyfel Cartref, priododd Solomon Rees â merch oedd â gwaed Indiaidd yn ogystal â Chymreig ynddi, ac am rai blynyddoedd bu'n byw gyda hi yn un o'r tiriogaethau brodorol yn nwyrain Kansas. Ond cafodd lond bol ar hyn, ac aeth i grwydro'r paith yn saethu byfflo i'r cwmnïau rheilffordd. Pan yrrwyd llwyth y Cheyenne o Oklahoma gan y fyddin cafodd waith fel sgowt i'r *4th Cavalry* gan dderbyn pum doler y dydd. Yn ystod y cyfnod hwn daeth i gysylltiad â'r heliwr a'r ymladdwr Indiaidd enwog Kit Carson.

Nid oedd yr Indiaid yn hoff o'u tiroedd newydd ger Fort Reno ac yn 1878 penderfynasant adael gyda'r fyddin ar eu holau. Arweiniodd hyn at nifer o ysgarmesau gwaedlyd – cyfnod a elwir yn Ryfel Dull Knife ar ôl enw'r pennaeth. Roedd Sol Rees yn Texas ar y pryd a gyrrwyd milwr i'w nôl gan ofyn iddo gynorthwyo'r fyddin unwaith eto. Pan gyrhaeddodd Kansas daeth ar draws nifer o wynion oedd wedi eu clwyfo gan y Cheyenne a galwodd ar nifer o ddynion i ffurfio mintai i fynd i chwilio am yr Indiaid. O fewn dim daethant ar draws nifer o'r Cheyenne ond nid oedd neb ond Sol am ymosod, a rhuthrodd ef tuag atynt gan wagio'i rifolfyr i'w cyfeiriad ond dihangodd yr

*Sol Rees*

*Sol Rees yn ymladd ag Indiad (allan o'r llyfr* The Border and the Buffalo).

Indiaid. Dilynodd Sol hwy a daeth ar draws un yn gorwedd yn farw – roedd pedwar o'i fwledi ym mrest yr Indiad, ac aeth ati i'w sgalpio.

Yn nes ymlaen, daethant ar draws pum mintai o'r *4th Cavalry* ac roedd y milwyr i gyd yn flin gan fod y Cheyenne newydd ladd Cyrnol Lewis eu harweinydd. Ymunodd Sol â hwy ac mi aethant i chwilio am yr Indiaid a'i lladdodd. Yn y man, daethant ar draws pedwar dyn yn gorwedd yn farw mewn cae tatws – roedd y Cheyenne wedi cyrraedd yno o'u blaenau. Teithiodd y milwyr am y Republican River lle tybid bod y Cheyenne yn gwersylla a chyn bo hir gwelsant fwg yn codi i'r awyr. Cododd y milwyr eu gwersyll rai milltiroedd o'r fan lle roedd yr Indiaid yn aros gan ei bod yn rhy dywyll i ymosod. Bore drannoeth, aeth Sol a sgowt arall i gael gweld ymhle'n union oedd y Cheyenne a daethant ar draws hen Indiad. Roedd Sol am ei saethu'n syth ond roedd ei gyfaill – un oedd yn gallu siarad â'i ddwylo – am geisio cael yr Indiad i siarad. Ond methodd ac anelodd Sol ei wn 45 at glust yr Indiad ac o fewn dim dywedodd hwnnw wrthynt i ba gyfeiriad yr oedd y llwyth wedi mynd. Rhoddwyd yr Indiad yng ngofal y fyddin, ond fe'i saethwyd gan rai o'r milwyr oedd am ddial am farwolaeth Cyrnol Lewis.

Wedi dyddiau lawer yn eu dilyn, amgylchynwyd y Cheyenne ger Fort Robinson, Nebraska, ond wedi brwydro caled yno, dihangodd yr Indiaid i gyfeiriad Fort Keogh, Montana, lle daliwyd hwy i gyd. Cafodd Sol Rees ac eraill y gwaith o arwain tri chant o'r Cheyenne – yn wŷr, gwragedd a phlant – i Kansas. Cynigiodd y fyddin fwy o waith i Sol ond penderfynodd ddychwelyd i'w gartref yn Prairie Dog. Ond methodd setlo, a rhoddodd ei fryd ar grwydro unwaith eto a chychwynnodd am Mecsico Newydd.

Yno, yn nhre Raton, cafodd ei daro'n wael – gyda'r *mountain fever*. Clywodd gweddw Kit Carson ei fod yn gorwedd yn anymwybodol mewn adeilad yn y dref a galwodd ar bedwar gŵr cryf i'w gyrchu i'w chartref. Edrychodd y weddw Carson ar ei ôl am bedwar diwrnod nes y gwellodd, ac i dalu'r gymwynas yn ôl rhoddodd Sol Rees ugain doler iddi sefydlu busnes golchi dillad yn y dref. Dychwelodd Sol Rees i'w gartref yn Prairie Dog, Kansas, lle priododd a magu pump o blant – tri mab a dwy ferch.

## Sarjant William B James a Brwydr y Little Big-horn

Un a ymunodd â'r *7th Cavalry* ac a gafodd ei ladd ym Mrwydr y Little Bighorn oedd William Bowen James o Fferm Pencnwc, Dinas, ger Hwlffordd. Ganed William yn 1849 ond erbyn 1870 roedd wedi ymfudo i America ac yn gweithio fel coetsmon yn Chicago. Yn 1872, yn dair ar hugain oed, ymunodd â'r Fyddin. Erbyn 1876 roedd yn sarjant gyda'r *E Company* ac roedd ym Montana gyda'r Cadfridog George Custer oedd yn ceisio cael trefn ar Indiaid y gwastatir dan arweiniad Sitting Bull.

Ar fore Sul, Mehefin y pumed ar hugain, penderfynwyd rhannu'r *7th Cavalry* yn dair bataliwn – rhwng Major Reno, Capten Benteen a'r Cadfridog Custer. Milwyr *C*, *E*, *F*, *I* ac *L troops* oedd gyda Custer ac yn teithio tuag at bentref Indiaidd er mwyn ymosod arno. Ond roedd yr Indiaid – cymysgedd o Sioux, Cheyenne, Arapaho a Gros Ventres – wedi eu gweld yn dod tuag atynt. Ymosododd tair mil o Indiaid arnynt ac o fewn pum munud bu raid i'r milwyr ddod oddi ar eu ceffylau a cheisio ffurfio cylch i amddiffyn eu hunain gan obeithio y deuai un o'r ddwy bataliwn arall i'w cynorthwyo – ond roedd Indiaid wedi ymosod arnynt hwythau hefyd. Daeth ton ar ôl ton o Indiaid i gyfeiriad Custer a'i ddynion, ac o fewn hanner awr roedd y frwydr drosodd, a'r milwyr i gyd yn gorwedd yn farw ar waelod y dyffryn. Roedd William B James yn un o'r 261 o filwyr, gan gynnwys Custer, a laddwyd gan yr Indiaid a'u claddu ger maes y gad.

## Trooper Frank Roberts

Ond nid pawb a aeth i America a fethodd â dychwelyd i'r hen wlad a daeth nifer yn eu holau i Gymru – am gyfnod beth bynnag – i adrodd hanesion eu hanturiaethau dros y dŵr. Un ohonynt oedd Frank Roberts, mab tafarn y *Golden Age* ym Mhen-y-graig ger Tonypandy. Bu Frank yn aelod o'r *3rd United States Cavalry* a'r *Mounted Infantry* am ddeuddeng mlynedd ac roedd gyda'r *Mounted Infantry* pan ddaliwyd pennaeth y Sioux, Sitting Bull, yng Ngorffennaf 1881. Cyn hynny, cymerodd ran mewn nifer o frwydrau ffyrnig efo'r Indiaid ac yn ôl pob sôn nid oedd *Trooper* Frank Roberts yn ymddiried yn yr Indiaid o gwbl. Yn wir, honnai fod yr Indiaid yn deall llawer mwy o Saesneg nag y cyfaddefid ganddynt ac, yn ôl Frank, pan ymosodai'r Cafalri ar yr Indiaid croesewid hwy â bloeddiadau o *"Come on, you white-livered sons of bitches."*

Yn 1891 daeth Frank adref i Gymru i weld ei deulu, ond ni allai gadw draw o'r Gorllewin Gwyllt hyd yn oed gartref a phan ddaeth Sioe Buffalo Bill i ardal Caerdydd, Frank oedd un o ymwelwyr mwyaf cyson y sioe. Bu gartref am bedwar mis ond ni allai gael y Gorllewin Gwyllt o'i waed a dychwelodd i America gan ailymuno â'r *3rd Cavalry*.

## Sioe Buffalo Bill

Un arall fu ar ymweliad â Sioe Buffalo Bill oedd groser o Cathays, Caerdydd. Pan oedd Cyrnol Buffalo Bill Cody ar ymweliad â'r dref yn 1891, aeth y groser ato a gofyn a oedd yn ei gofio o'i ddyddiau yn y Gorllewin Gwyllt. Gyrrodd Cody ef oddi yno gan ei gyhuddo o ddweud celwydd ond

*Sioe Buffalo Bill yn croesi Pont Treganna, Caerdydd, 1903. O gasgliad Amgueddfeydd ac Orielau Cenedlaethol Cymru (Amgueddfa Werin Cymru).*

aeth y groser i siop y barbwr a chael gwared â'i farf a thrimio'i fwstás fel yr arferai wneud flynyddoedd ynghynt. Yna dychwelodd at Buffalo Bill ac adnabu hwnnw ef ar unwaith a chafodd groeso twymgalon gan Cyrnol Cody a thocynnau am ddim i weld ei sioe! Ac nid yn America'n unig yr oedd yna gymysgu rhwng yr Indiaid a'r gwynion. Tra oedd rhai o'r Indiaid yn Sioe Buffalo Bill ar ymweliad â Chaerdydd, yn ôl adroddiadau papur newydd, gwelwyd nifer ohonynt yn cerdded ar Gaeau Llandaf fraich ym mraich â rhai o ferched y dref.

# Ffynonellau

Elwyn T Ashton, *The Welsh in the United States*, Caldra House, 1984

John R Cook, *The Border and the Buffalo*, Crane a'i Gwmni, Kansas 1907

Alan Conway (Gol.), *The Welsh in America – Letters from the Immigrants*, Gwasg Prifysgol Cymru, 1961

Davies, Eirug, *Y Cymry ac Aur Colorado*, Gwasg Carreg Gwalch, 2001

Thomas E Hughes ac ati (Goln.), *Hanes Cymry Minnesota*, Mankato, 1895

A O Jones, *His Lordship's Obedient Servant*, Gomer, 1985

Bryn Owen, *Owen Roscomyl and the Welsh Horse*, Palace Books, 1990

Jack Martin, *Border Boss – Captain John R Hughes, Texas Ranger*, State House Press, Austin, Texas, 1990

Denis McLoughlin, *An Encyclopedia of the Old West*, Barnes & Noble, Efrog Newydd, 1995

Joseph G Rosa, *Wild Bill Hickock, The Man and his Myth*, Gwasg Prifysgol Kansas, 1996

Daniel W Williams – Darlith i'r *Montana Pioneers* (copi yn Archifdy Gwent)

Peter Wood, *The Sully Kid*, ZBN, 1982

Llyfrgell Genedlaethol Cymru (Llythyrau Owen Roscomyl rhif 9–, Owen Arthur Vaughan ac erthygl o *The Nationalist* 11, 22, Rhagfyr 1908, 7–12)

## Llyfrau eraill o ddiddordeb

Howell Jones, *Y Cowboi*, Gwasg Prifysgol Cymru, 1963

Eirug Wyn, *I Ble'r Aeth Haul y Bore?*, Y Lolfa, 1997